Cuaderno de ejercicios

Nuevo Avance
Superior

María Dolores Martín | Concha Moreno | Victoria Moreno | Piedad Zurita

Español Lengua Extranjera

SGEL

Primera edición: 2014

Produce: SGEL - Educación
Avd. Valdelaparra, 29
28108 ALCOBENDAS (MADRID)

© María Dolores Martín
Concha Moreno
Victoria Moreno
Piedad Zurita

© Sociedad General Española de Librería, S. A. 2014
Avd. Valdelaparra, 29. 28108 ALCOBENDAS (MADRID)

ISBN: 978-84-9778-527-3
Depósito Legal:
Printed in Spain – Impreso en España

Edición: Ana Sánchez
Coordinación editorial: Jaime Corpas
Corrección: Belén Cabal
Cubierta: Track Comunicación (Bernard Parra)
Maquetación: Track Comunicación (Bernard Parra)
Ilustración: M.ª Ángeles Peinador
Fotografías: Thinkstock, Cordon Press, Silvia Martín Gutiérrez (pag. 45)
Impresión:

Índice

Me gustaría que...

1. Contenidos gramaticales

1 Completa los espacios con el presente de subjuntivo, el imperfecto de subjuntivo o el infinitivo.

1 ● Hoy llevo todo el día trabajando delante del ordenador. Necesito un descanso.
  ▼ ¿Te apetece que (dar, nosotros) _____ una vuelta?
  ● Sí, por favor, me encantaría (estirar, yo) _____ las piernas.

2 ● ¿A qué hora vais a llegar a la fiesta?
  ▼ Supongo que sobre las nueve. ¿Quieres que (recogerte, nosotros) _____?
  ● Vale. Me da vergüenza (llegar, yo) _____ sola, no conozco a nadie.

3 ● ¿Ya habéis decidido adónde vais de viaje este verano?
  ▼ Vamos a Tailandia, pero al final nos vamos en agosto, así que nos sale más caro. El jefe de Ramón no le ha dejado que (coger, él) _____ las vacaciones en septiembre.

4 ● Siempre que viajamos en avión, Alfredo tiene miedo de que (tener, nosotros) _____ un accidente.
  ▼ Dile que no se preocupe, que es más probable que (pasar) _____ algo de camino al aeropuerto. Los accidentes de tráfico son más frecuentes.

5 ● ¿Te has enterado de la última noticia?
  ▼ No. ¿Qué ha pasado?
  ● Andrea le ha pedido a Luis que (casarse, él) _____ con ella.

6 ● Me comentó Alicia que te hicieron una entrevista para el periódico.
  ▼ Sí, ya salió publicada hace unos días, pero me fastidió mucho que no (poner, ellos) _____ lo que yo había dicho.

7 ● Me gustaría mucho que (venir, vosotros) _____ todos los hermanos juntos a comer algún día.
  ▼ Mamá, ya sabes que somos muchos y es difícil que (ponernos) _____ de acuerdo.

8 ● A la abuela le molestaba mucho que (interrumpir, nosotros) _____ una conversación cuando hablaban los adultos.
  ▼ Sí, es verdad. Se ponía furiosa.

9 ● ¿Le preguntaste a tu profesor qué podías hacer para aprender más expresiones en español?
  ▼ Sí, me aconsejó que (ver, yo) _____ más la televisión en español.

2 Relaciona estos consejos y mandatos con las diferentes situaciones.

1 Os dije que no llegarais tarde a la fiesta sorpresa de la tía. Siempre hacéis lo mismo.

2 Me recomendó que hiciera pausas de cinco minutos cada media hora cuando trabajara con el ordenador.

3 Te he pedido que no me llames más. Lo nuestro se ha acabado.

4 Me aconsejó que analizara la situación económica de la empresa antes de comprar acciones.

5 Te mandó que te callaras y tú no le hiciste caso. Ahora está muy enfadada.

6 Nos sugirieron que lo lleváramos a la psicóloga porque tiene problemas para relacionarse.

a Una oculista a un paciente.

b Un compañero de trabajo a otro.

c Dos profesoras a unos padres.

d Una madre a sus hijos.

e Una chica a su *ex* por teléfono.

f Una compañera de clase a un compañero.

> **Para aclarar las cosas**
> *Ex:* persona que ya no es la pareja sentimental de otra.

3 **Completa con los siguientes verbos en su tiempo correcto del pasado.**

A *Mi primera experiencia en España.*

> dar vergüenza • pedir • sugerir • querer • soportar • tener • encantar

Vine a España en verano hace ocho años porque (1) _____ hacer un curso de español. Al principio no fue fácil. No (2) _____ que la gente me hablara y que yo no pudiera entender todo lo que me decían. Poco a poco, y con la ayuda de las clases, empecé a hablar, aunque me (3) _____ que me notaran un acento extranjero muy fuerte.

Dos semanas después, conocí a Miguel y me enamoré de él. Me (4) _____ que fuera tan paciente conmigo y que me enseñara palabras nuevas.

Miguel me (5) _____ que me quedara en España, pero yo (6) _____ miedo de que la relación no fuera bien y decidí volver a Italia.

Un mes después, quedamos en pasar juntos una semana en Madrid. Fue entonces cuando me (7) _____ de nuevo que me quedara a vivir con él. Al final decidí intentarlo y, mira, todavía seguimos juntos y tenemos dos hijos.

B *Cuando me licencié.*

> decir • importar • hacer • recomendar • exigir • alegrar • gustar

Hace dos meses terminé la carrera y fui a pedir consejo a mis profesores. Ellos me (1) _____ que hiciera un máster oficial, ya que así completaría mi formación académica.

Mi madre, en cambio, me (2) _____ que lo mejor era que buscara trabajo. Le expliqué que era complicado porque para cualquier puesto me (3) _____ que tuviera algún tipo de experiencia.

Unos días después, hice una entrevista para una empresa multinacional. Me (4) _____ que me pagaran un viaje a Dublín para completar la entrevista.

A mí me (5) _____ ilusión que me ofrecieran un trabajo en el extranjero para poder practicar idiomas.

Me llamaron enseguida, y me preguntaron si me (6) _____ que el trabajo fuera en Alemania. Me (7) _____ tanto de que mi sueño se cumpliese que dije que sí sin dudarlo.

Braqu

4 *¿Pero o sino?* **Elige la opción correcta en cada caso.**

> Recuerda que *sino* puede tener dos significados:
> **1** Contraponer a un concepto negativo otro afirmativo: *El autor de ese cuadro no es Picasso sino Braque.*
> **2** Si le precede una negación suele significar *'solamente'* o *'tan solo'*: *No he dicho que cante mal, sino que a mí no me gusta.*

1 Ese acento no es andaluz, *sino/pero* canario.

2 Coméntale que mañana tenemos partida de cartas a las 20:00, *sino/pero* que no llegue tarde.

3 Perdona, los que ganaron ayer no fueron ellos, *sino/pero* nosotros.

4 No me pidieron que les enviara la carta por correo ordinario, *sino/pero* que les escribiera un correo electrónico.

5 Me he preparado las *oposiciones* de administrativa en varias ocasiones, *sino/pero* siempre tengo mala suerte con los temas que me preguntan.

6 No he dicho que sea antipático, *sino/pero* que a mí no me cae bien.

7 Me gustaría presentarme a los exámenes, *sino/pero* no creo que tenga tiempo de prepararme todas las asignaturas.

8 No aspiro a ganar mucho dinero, *sino/pero* a poder vivir con suficiente tranquilidad.

> **Para aclarar las cosas**
> *Oposiciones*: exámenes para obtener una plaza de funcionario.

2. Contenidos léxicos

1 **Utiliza estas palabras y expresiones en la frase adecuada.**

> sin pegar ojo • para colmo • eficiente • ha tenido mala leche
> pelota • pasé un mal rato

1 Esta mañana no ha sonado el despertador, he llegado media hora tarde a la reunión y, _____, me he dejado el portátil en casa donde tenía la presentación.

2 Han abierto una nueva discoteca cerca de mi casa y llevo dos días _____ por culpa del ruido que hace la gente haciendo la cola.

3 ● El chico nuevo es un poco _____ con el jefe, ¿no?
  ▼ No lo conozco bien, pero es verdad que es demasiado simpático con todo el mundo.

4 El otro día _____ porque iba andando por la calle y delante de mí se cayó al suelo una señora mayor.

5 No me extraña que la hayan contratado, es una chica muy trabajadora y _____.

6 ¿Qué tal el examen? A mí me parece que el profesor _____ con las preguntas. No creo que apruebe.

2 A Lee las descripciones y elige el adjetivo más apropiado para definir a cada persona.

1 Lo han elegido para diseñar la nueva página *web* de la Universidad.
Es una persona *creativa/sincera*.

2 Habla con todo el mundo en el trabajo.
Es una persona *valiente/abierta*.

3 Se le nota en la cara que nunca dice la verdad.
Es una persona *falsa/desordenada*.

4 Cree que no habla bien inglés y se pone nervioso.
Es una persona *insegura/vaga*.

5 Ha abierto otro bar de tapas y le va muy bien.
Es una persona *generosa/emprendedora*.

6 Le encanta tener las cosas puestas en su sitio.
Es una persona *ordenada/cerrada*.

7 No se lleva bien con los empleados de su empresa porque abusa de su poder.
Es una persona *autoritaria/cariñosa*.

8 Le hemos encargado otro libro porque sabemos que lo hará muy bien.
Es una persona *sociable/trabajadora*.

B Ahora escribe ejemplos con algunos de los adjetivos anteriores.

Confiamos mucho en Carmen porque es una chica muy **trabajadora**.

_____

_____

_____ .

3 Sustituye la parte marcada en negrita por la opción que tenga un significado equivalente.

1 **Se ha puesto roja como un tomate** cuando le han preguntado.
   a Le ha dado vergüenza
   b Le ha dado rabia
   c Se ha enfadado

2 Seguramente vamos a ir porque nos apetece **un montón**.
   a demasiado
   b mucho
   c un poco

3 **No aguantó** que le exigieran más y dejó el trabajo.
   a No disfrutó de
   b No soportó
   c No provocó

4 **No vale la pena** que te enfades con él. Ya sabes cómo es.
   a No está mal
   b Es una tontería
   c Es una buena idea

5 **No te permito** que me hables en ese tono.
   a Me avergüenzo
   b Te sugiero
   c Te prohíbo

6 **Otra caña**, por favor.
   a Otro café
   b Otro tinto de verano
   c Otra cerveza

7 **Por todo lo dicho,** considero que soy una persona muy capacitada para el puesto.
   a Finalmente
   b De hecho
   c Por todo ello

8 **A mí no se me dan bien** los idiomas.
   a No tengo facilidad para
   b Me aburren
   c No soporto

9 Siempre evito salir del trabajo **a la hora punta**.
   a cuando hay más tráfico
   b a la hora exacta
   c cuando sale el jefe

10 ¿Podría **darte un consejo?**
   a pedirte un favor
   b darte una idea
   c darte una recomendación

4 Ya has aprendido que en España la palabra *boli* la usamos para referirnos a *bolígrafo*. Di a qué palabras se refieren los siguientes acortamientos léxicos.

1 Bici _____.

2 Foto _____.

3 Bus _____.

4 Tele _____.

5 Cole _____.

6 Profe _____.

7 Súper _____.

8 Quimio _____.

9 Depre _____.

10 Porfa _____.

11 Finde _____.

12 Moto _____.

13 Cumple _____.

14 Mates _____.

3. De todo un poco

1 Interactúa.

Primero, lee las preguntas e intenta retenerlas. Luego sin mirar el libro pregunta a tu compañero. Después compartid vuestras respuestas con el resto de la clase.

¿Te haría ilusión que te llevaran a cenar a un restaurante romántico?

¿Te daría vergüenza que te mandaran un ramo de flores a tu trabajo?

¿Te daría rabia que te pidieran matrimonio por teléfono?

¿Te importaría casarte en Las Vegas? ¿O preferirías celebrar una boda más tradicional?

¿Te gustaría que te pidieran matrimonio en un lugar especial? ¿En la Torre Eiffel o delante del Taj Mahal por ejemplo?

2 Habla e interactúa.

A En parejas, intentad explicar el significado de estas expresiones referidas al amor y comentadlo con el resto de la clase. Luego elige una de estas posibilidades y da consejos a un/a amigo/a que se encuentre en esta situación.

Amor a distancia

Amor a primera vista

Amor de verano

Amor incondicional

Amor prohibido

Amor platónico

Amor ciego

Amores que matan

Amor a distancia. ¿Qué consejos le darías a un amigo si su pareja se fuera a estudiar o a trabajar al extranjero durante varios años?

Le aconsejaría que...

Le recomendaría que...

B Esta es una estrofa de la canción *Amores que matan* de Joaquín Sabina, cantautor y poeta muy famoso en el mundo hispano. En parejas, intentad explicar qué significa este juego de palabras.

> Y morirme contigo si te matas
> y matarme contigo si te mueres
> porque el amor cuando no muere, mata
> porque amores que matan nunca mueren.

C El amor no tiene edad.

¿Qué pensáis sobre este asunto? ¿Conocéis casos reales en los que la edad de las personas no haya sido un impedimento? Luego comentad vuestras opiniones con el resto de la clase.

3 Escucha.

La importancia de la entonación.

1 Escucha los diálogos y elige la respuesta correcta. Luego vuelve a escuchar la audición y responde las preguntas.

1 Si quieres acabar antes, te aconsejo que te repartas el trabajo con otros compañeros de clase.
 a Haré todo lo posible por localizarla.
 b No creo que sea buena idea, a mí no se me da bien eso de trabajar en grupo...
 c ¡Qué bien que puedas venir!

 ¿Por el tono de la respuesta crees que la persona está aceptando o rechazando la propuesta?

2 Estoy enfadada por no poder terminar el informe para mañana.
 a ¡Qué rabia! ¿Cómo te olvidaste de su cumple?
 b ¡Qué le vamos a hacer!
 c No vale la pena contárselo.

 ¿Qué se está expresando con la respuesta, resignación o rabia?

3 Qué pesado eres, papá. Déjame en paz y no me controles tanto.
 a No te permito que me hables así.
 b Silencio en la sala, por favor.
 c Luego no digáis que no os avisé.

 ¿Por el tono de la respuesta cómo crees que se siente la persona?

4 Mamá, estoy un poco nervioso, es que me da mucha vergüenza hablar en público.
 a Tranquilito, que verás que no duele nada.
 b Anda, dame un besito de buenas noches.
 c Miguelito, hijo, tranquilízate que seguro que todo va a ir bien.

 ¿Crees que la madre usa el diminutivo para ridiculizar su actitud o para expresar cariño?

2 Escucha la audición otra vez y di qué función comunicativa expresa cada diálogo: prohibir, aconsejar o expresar vergüenza.

Diálogo 1: Función comunicativa _____.

Diálogo 2: Función comunicativa _____.

Diálogo 3: Función comunicativa _____.

Diálogo 4: Función comunicativa _____.

4 Lee.

A ¿Le gusta su trabajo?

1 La reportera de Onda Meridional ha salido a la calle para analizar el nivel de satisfacción que tiene la gente con respecto a su trabajo. Ha entrevistado a cuatro personas. Lee las entrevistas y elige la opción correcta.

1 ● Buenos días, señor, ¿le importaría contestar una pregunta para Onda Meridional?

▼ No, dígame.

● ¿Le gusta su trabajo? ¿No se aburre tantas horas al volante?

▼ No, no me canso. Algunos clientes son muy interesantes. Me gusta que la gente hable conmigo en los trayectos. Lo que no aguanto es que suba gente que haya bebido demasiado y esté borracha. Pero, en general, estoy contento, me gusta.

2 ● Hola, ¿qué tal? ¿Podrías contestar a una preguntilla para el programa?

▼ Vale. Si no es mucho tiempo...

● No, solo un par de preguntas. ¿Te gusta trabajar con niños? ¿Te sientes feliz en tu trabajo?

▼ La verdad es que sí, yo disfruto mucho de mi trabajo. Bueno, a veces, me pone nervioso que todos griten a la vez, pero después se me olvida cuando miro sus caritas, son tan lindos...

3 ● Hola, buenos días, ¿tiene un minuto para que le hagamos un pregunta?

▼ Sí, por supuesto.

● ¿Se siente satisfecha con su trabajo?

▼ Bueno, a veces sí y a veces no, depende del día. Me gustaría tener un trabajo al aire libre y salir del despacho, pero no me quejo.

4 ● Hola, ¿qué tal? ¿Podrías responder a una preguntita para nuestro programa?

▼ Sí, claro.

● ¿Estás contenta con tu trabajo? ¿No es un trabajo muy duro?

▼ Bueno, es un trabajo difícil y se gana muy poco, claro, lo justo para vivir. Pero me encanta poder ayudar a la gente y viajar por diferentes países, aunque a veces ves cosas muy duras.

1 a Un médico	**b** Un camarero	**c** Un taxista
2 a Un cocinero	**b** Un profesor	**c** Un enfermero
3 a Una bibliotecaria	**b** Una conductora de autobús	**c** Una azafata
4 a Una abogada	**b** Una voluntaria de una ONG	**c** Una periodista

2 Vuelve a leer las entrevistas y trata de descubrir qué sentimiento o actitud muestran los entrevistados. Elige entre estas dos opciones.

1	**a** Satisfacción	**b** Aburrimiento
2	**a** Tristeza	**b** Ternura
3	**a** Resignación	**b** Felicidad
4	**a** Celos	**b** Ilusión

B Los celos.

1 Lee el texto y relaciona las palabras marcadas en negrita con uno de los sinónimos que te proponemos.

LOS CELOS NO SON AMOR

Los celos han sido desde hace siglos argumento constante de la literatura, aunque constituyen también el **germen** de demasiados sucesos **desgraciados** y muy reales. Pero, ¿qué son los celos?

Podríamos definirlos como un estado emotivo y ansioso que padece una persona y que se caracteriza por el miedo ante la posibilidad de perder lo que se tiene, se considera que se tiene, o se debería tener.

En el ámbito sentimental, el rasgo más **acusado** de los celos es la desconfianza y sospecha permanente del otro, lo que perjudica gravemente la relación con la persona amada. La mayoría de nosotros entendemos por celos ese confuso, paralizador y **obsesivo** sentimiento causado por el temor de que la persona a la que amamos prefiera a otra en lugar de a nosotros.

El origen de los celos hay que buscarlo en situaciones **neuróticas**. Algunos autores creen que el sentimiento de los celos es universal e **innato**.

Por el contrario, otros psicólogos señalan que este sentimiento es de origen cultural. Son dos teorías relativamente **antagónicas**, pero perfectamente complementarias.

Los celos, en contra de lo que podría parecer y de lo que sugieren algunas letras de canciones, argumentos literarios o guiones de películas, no son consecuencia de un gran amor, ni indican cuánto se quiere, se necesita o se desea a la otra persona. En muchas situaciones de celos las causas son: miedo a la soledad, necesidad de controlar al otro, inseguridad en uno mismo, etc.

Un tipo muy especial de celos son los infantiles, que se manifiestan tras el nacimiento de un nuevo hermano. El niño, antes centro de todas las atenciones, se ve obligado a aceptar que debe compartir con el nuevo miembro de la familia el amor y los cuidados de sus padres, lo que hace que vea en el recién llegado un **intruso**.

(Texto adaptado de: *http://psicologiayelser.blogspot.com*)

1 Evidente o muy claro _____.
2 Insistente _____.
3 Extraño _____.
4 Emocionalmente inestables _____.
5 Connatural _____.
6 Opuestas _____.
7 Origen o principio _____.
8 Trágicos o lamentables _____.

2 Señala si son verdaderas (V) o falsas (F) estas afirmaciones según el texto.

	V	F
1 Los celos son consecuencia de un amor profundo.		
2 Los celos existen también en el ámbito familiar y no solo en las parejas.		
3 En la mayoría de los casos los celos se deben a una ruptura amorosa.		
4 Se sugiere que el hecho de que una persona sea celosa impide tener una buena relación sentimental.		
5 Una teoría dice que el origen de los celos puede estar en una inestabilidad emocional.		

5 Escribe.

1 Aquí tienes dos de dos cartas. ¿Cuál de estas cartas es una carta
de recomendación? ¿Observas alguna diferencia importante
entre ambas? ¿En qué carta se habla de uno mismo?

CARTA 1

Ángel Rodríguez León
Director del *Máster en Enseñanza de Inglés como Lengua Extranjera*
Campus Las Colinas, s/n
Facultad de Letras. Departamento de Filología Inglesa
Universidad de Granada

15 de mayo de 2012

Estimados/as señores/ señoras:
Les envío mi Curriculum Vitae, ya que estoy muy interesada en realizar el *Máster en Enseñanza de Inglés como Lengua Extranjera* y creo que reúno las condiciones que ustedes requieren.
Como podrán comprobar, después de licenciarme en Traducción e Interpretación, mis intereses profesionales han estado enfocados hacia la enseñanza del inglés. He realizado numerosos cursos de formación y me considero una persona constante y trabajadora.
Creo que este máster sería una gran oportunidad para poder completar mi formación.
Por estos motivos, les agradecería que considerasen la posibilidad de admitir mi solicitud. Si fuera necesario, pueden ponerse en contacto conmigo para ampliar cualquier aspecto que sea de su interés.
Atentamente,

María Luisa Martínez Blanco
Avda. Andaluces, 17, 5.° D
29076 Granada

CARTA 2

A quien pueda interesar:
Me complace indicar que don Antonio Soria Olalla ha impartido clases en nuestro Centro de Idiomas con sede en Alcalá de Henares, de enero a mayo de 2012.
Durante este tiempo, he podido constatar que ha impartido las clases de manera óptima, ya que ha sido muy bien valorado por sus estudiantes en las encuestas de calidad que periódicamente realizamos.
Además de su dedicación y esfuerzo, puedo destacar que es un excelente compañero de trabajo, siempre dispuesto a colaborar en cualquier situación.
Por todo ello, considero que es una persona idónea en su actividad profesional.
Quedo a su disposición para cualquier aclaración o información adicional que precisen.

Marta Fernández Alarcón
Coordinadora académica

Centro de Idiomas
C/ Albéniz, 78
28806 Alcalá de Henares
(Madrid)
Tlfno. 913 897 211

2 Señala las partes que tiene la carta de recomendación. Después
compárala con las partes que tiene la carta de presentación.

3 Vamos a suponer que quieres llevarte a tu país una carta de recomendación de la profesora que te ha dado clases. Quieres que destaque tu interés
y tu esfuerzo en las clases. Ayúdala a escribir la carta. Nadie mejor que tú
sabe qué recomendaciones dar sobre ti mismo/a.
(Recuerda que a veces las cartas de recomendación no tienen un destinatario
concreto. Ejemplo carta 2.)

Mundo diverso

1. Contenidos gramaticales

1 **Elige el modo indicativo o subjuntivo en cada caso.**

1 ● ¿A qué hora tienes que volver a casa?
▼ Mis padres me han dicho que *estoy/esté* en casa antes de las dos y que no *vuelvo/vuelva* sola.

2 ● Esta tarde vamos toda la clase a ver el partido de España. Si gana, vamos a la plaza Mayor a celebrar la victoria.
▼ No creas que *va a ser/vaya a ser* tan fácil. Alemania tiene un equipo muy bueno.

3 ● Creo que *voy a comprarme/vaya a comprarme* el nuevo iPhone.
▼ Me parece una tontería que te *gastas/gastes* todos los puntos que tienes acumulados en un nuevo móvil, cuando el tuyo funciona tan bien. Pero si tienes tanto interés, más vale que *esperas/esperes* a las *rebajas de enero*.

4 ● ¿Qué te pasa? Estás muy seria.
▼ Últimamente tengo una sensación rara. Siento que algo malo *va a ocurrir/vaya a ocurrir*.
● ¡Anda ya! No digas eso que todo el mundo va a pensar que *estás/estés* loca.

5 ● He oído en la radio que *han cortado/hayan cortado* el tráfico en el centro porque hoy es el Día Mundial sin coche.
▼ Sí, es verdad. Mi hermana ha quedado con varios amigos para salir con la bici.
● Me parece estupendo que *hay/haya* ese tipo de iniciativas.

6 ● ¿Piensas que es normal que *lleva/lleve* sin llamarme una semana? Yo creo que no *sabe/sepa* cómo decirme que no quiere seguir conmigo.
▼ Espérate unos días. Me parece fatal que no te *llama/llame*, pero no creo que *es/sea* porque no le interesas.

Para aclarar las cosas

Rebajas de enero: periodo de tiempo durante el mes de enero en el que las tiendas bajan los precios de sus productos.

---

2 **A Aquí tienes una muestra del blog que está escribiendo Lucía sobre la globalización. Completa el texto con la forma verbal adecuada.**

INICIO | SOBRE NOSOTROS | SUSCRIBE: POST | COMENTARIOS

Halloween y el Día de Todos los Santos

Pienso que muchos aspectos culturales (1) (fusionarse) se *han fusionado* como consecuencia directa de la conocida globalización. Hoy **quiero** (2) (escribir) _____ sobre dos fiestas que parecen tener un origen común pero que son muy distintas.

Me da la impresión de que cada año más gente (3) (celebrar)_____ Halloween en España y **creo** que (4) (ser) _____ debido principalmente a la influencia de Estados Unidos. Antes, nuestros abuelos solo conocían el Día de Todos los Santos que se celebra el 1 de noviembre.

Hoy en día, en los colegios, los profesores **piden** a las familias que (5) (llevar) _____ a los niños disfrazados y, por supuesto, a los niños **les encanta** que sus padres los (6) (vestir) _____ con disfraces terroríficos para el esperado Halloween.

Sin embargo, a muchas personas **les molesta** que (7) (celebrarse) _____ unas fiestas a las que no están acostumbrados y que además **consideran** que (8) (ser) _____ copias exactas de las series estadounidenses.

A mí personalmente **me gusta** mucho que la gente (9) (estar) _____ contenta y (10) (divertirse) _____. Por eso, **me apetece** (11) (ir) _____ a fiestas donde la gente se preocupa de (12) (llevar) _____ el mejor disfraz de la noche.

Pero por otro lado, **es una pena** que nuestras tradiciones (13) (perderse) _____. El Día de Todos los Santos es una tradición católica en la que visitamos a nuestros familiares difuntos. **Intento** todos los años (14) (llevar) _____ flores a mis abuelos y paso un rato tranquilo pensando en ellos. Estos momentos no me los da Halloween.

B Seguro que en tu país se celebra también un día dedicado a los difuntos. ¿Cómo y cuándo se hace? Coméntalo con tus compañeros.

3 Completa los siguientes diálogos con el tiempo correcto y decide sobre qué están hablando u opinando estas personas.

1 ● A mí no me gusta mucho que mis hijos (ir) *vayan*. Tengo la impresión de que muchos jóvenes no (controlar) _____ lo que hacen.
   ▼ Sí, pero no te preocupes, tus hijos son responsables. Aunque yo también tengo mis dudas acerca de la seguridad de estos sitios.
   a *Creo que están hablando de macrofiestas.* ✓
   b *Creo que están hablando de cruceros.*

2 ● Me parece muy bien que los (poner, ellos) _____ por toda la ciudad, pero no veo lógico que no nos dejen acera a los peatones.
   ▼ Sí, yo opino lo mismo. Una ciudad sin tráfico y más sostenible es una idea muy buena, pero que nos dejen pasear también.
   a *Creo que están hablando de los parques infantiles.*
   b *Creo que están hablando de los carriles bici.*

3 ● ¿Te parece normal que la gente (involucrarse) _____ tanto?
   ▼ A mi modo de ver es un fenómeno positivo, despierta pasiones y emociones y cuando ganamos, la gente se siente feliz.
   a *Creo que están hablando de la Semana Santa.*
   b *Creo que están hablando del fútbol.*

4 ● A mí me parece que (ser) _____ lo más difícil cuando estás aprendiendo una lengua extranjera.
   ▼ Sí, según he leído, lo que más nos cuesta es entender los chistes y las bromas en otra lengua.
   a *Creo que están hablando del humor.*
   b *Creo que están hablando de la gramática.*

5 ● ¡Qué buena idea!
   ▼ No estoy del todo seguro de cómo hacerlo, pero tengo la sensación de que (poder) _____ funcionar, incluso en medio de esta crisis.
   a *Creo que están hablando de un negocio.*
   b *Creo que están hablando de una receta.*

6 ● Nos guste o no, creo que (ser) _____ un fenómeno que nos afecta a todos.
   ▼ Sí, tienes razón. Es imposible que (poder, nosotros) _____ evitarlo. Los medios de comunicación tienen un papel muy importante en todo esto.
   a *Creo que están hablando de internet.*
   b *Creo que están hablando de la globalización.*

4 **En parejas, vamos a analizar algunos ejemplos de las actividades anteriores.**

1 ● Esta tarde vamos toda la clase a ver el partido de España. Si gana, vamos a la plaza Mayor a celebrar la victoria.

   ▼ **No creas que** va a ser tan fácil. Alemania tiene un equipo muy bueno.

   ¿Creéis que se está rechazando o se está aceptando la información anterior? ¿Por qué motivo?

   _____

   _____ .

2 ● **Me parece muy bien** que los pongan por toda la ciudad, pero no veo lógico que no nos dejen acera a los peatones.

   ¿Creéis que se está expresando una evidencia o que se está valorando una situación? Pensad en otras estructuras que expresen una idea parecida.

   _____

   _____ .

3 ● **Me parece una tontería que** te gastes todos los puntos que tienes acumulados en un nuevo móvil, cuando el tuyo funciona tan bien. Pero si tienes tanto interés, **más vale que** esperes a las rebajas de enero.

   a *¿Qué tipo de valoración está haciendo el hablante con **me parece una tontería que**? ¿Es positiva o negativa la valoración? Pensad en otra estructura que exprese la misma idea.*

   _____

   _____ .

   b *En este caso cuando se usa **más vale que**, ¿es una amenaza o un consejo?*

   c *Escribid dos ejemplos con **más vale que**, uno que exprese consejo y otro amenaza. Recordad lo importante que es el tono cuando leáis los ejemplos.*

   Consejo: _____ .

   Amenaza: _____ .

2. Contenidos léxicos

1 **Termina estas frases con la expresión o el refrán más correcto para cada situación. Recordad que es importante usar el tono adecuado cuando leáis.**

Donde fueres, haz lo que vieres.		Estoy hecho polvo.

| ¡Eres un muermo! | Me tiene manía. | ¡Es una pasada! |

1 Llevamos sin salir de casa varios fines de semana, no hay quien te mueva del sofá. Te pasas horas y horas jugando a la *Play*.

_____ .

2 Cuando estuve en Estados Unidos, usaba mucho las chanclas, allí todo el mundo las llevaba.

_____ .

3 Creo que no le caigo muy bien a la profesora. A lo mejor es porque el primer día llegué tarde. Nunca se ríe cuando hago bromas.

_____ .

4 Esta ciudad me encanta, tiene unos edificios altísimos y un ambiente increíble.

_____ .

5 No puedo dar ni un paso. Llevo todo el día dando vueltas buscando un regalo especial para Lucía.

_____ .

> **Para aclarar las cosas**
> *Play:* consola de PlayStation.

2 Sustituye la parte marcada en negrita por la opción que tenga un significado equivalente.

1 **Basta con** que me lo digas una vez, ya lo he oído.
   a Es mejor
   b Es suficiente con
   c Más vale

2 Todas las ciudades que visitamos eran diferentes y **conservaban sus peculiaridades**.
   a tenían sus características propias
   b guardaban sus diferencias
   c depositaban sus propiedades

3 El fútbol es un deporte **global**.
   a nacional
   b completo
   c mundial

4 Mi nieta se casa este año y le he comprado **los anillos**.
   a los aretes
   b las sortijas
   c los brazaletes

5 No entiendo su humor y no **me hacen gracia** sus chistes.
   a me causan alegría
   b me divierten
   c me río

6 Es **verdad**, no me gusta salir de noche. Prefiero despertarme temprano y aprovechar el día.
   a claro
   b cierto
   c real

7 Mi hija ya ha empezado a ir a **la guardería**.
   a el colegio
   b la escuela secundaria
   c la escuela infantil

8 **Más vale** que te acuestes temprano, si no, mañana no podrás madrugar.
   a Es mejor
   b Es suficiente con
   c Es evidente

3. De todo un poco

1 Interactúa.

Existen varios procesos de globalización en relación con las lenguas, por ejemplo, la difusión del inglés como lengua de comunicación internacional, o la globalización del español que supone un contacto entre las distintas variedades.
En parejas, contestad las preguntas y opinad sobre la globalización de las lenguas y su aprendizaje según vuestra propia experiencia. Luego comentad vuestras ideas con el resto de la clase.

¿Sabes cuáles son las lenguas más habladas del mundo?

¿Crees que un argentino y un español pueden llegar a tener problemas de comunicación?

¿Crees que la importancia de un idioma en el mundo está ligada a la economía del país?

¿Crees que algunas personas tienen más facilidad que otras para aprender una segunda lengua?

¿Consideras que el chino o el español podrán llegar a ser lenguas globales?

¿Consideras que tu lengua materna puede ayudarte durante el aprendizaje de una segunda lengua?

¿Piensas que una persona que no habla inglés tiene menos posibilidades laborales?

¿Crees que hay una determinada edad a la que ya es imposible aprender bien una lengua?

2 **Habla.**

Piensa cuáles son las cosas o los productos típicos de tu país y haz una presentación a tus compañeros. Aquí tienes algunas ideas que te pueden ayudar a recordar.

bebidas   artesanía   alimentos   ropa   joyería
electrónica   especias   música

3 **Escucha.**

Escucha la entrevista que nuestro corresponsal de Onda Meridional en República Dominicana le hace a una española que vive en Punta Cana. Luego elige la opción correcta.

1 La entrevista se desarrolla en...
   a un mercado.
   b un centro comercial.
   c una playa del Caribe.

2 Toñi trabaja en...
   a una farmacia.
   b un hotel.
   c una tienda.

3 Su marido y ella llevan toda la vida...
   a en Punta Cana.
   b en Córdoba.
   c viajando.

4 Toñi usa la palabra 'supermercaditos' porque...
   a quiere expresar el cariño que les tiene.
   b son muy pequeños.
   c son muy grandes.

5 Cuando Toñi llegó a Punta Cana le sorprendió...
   a el café dominicano.
   b las cosas que puedes encontrar en una farmacia.
   c los medicamentos que se pueden comprar sueltos.

6 Toñi quiere llevar a la periodista a...
   a un mercadillo.
   b un centro comercial.
   c un supermercado dominicano.

7 Toñi necesita unos minutos para ponerse...
   a ropa cómoda.
   b el uniforme.
   c el bañador.

4 **Lee.**

A Lee las descripciones de distintos productos de un mercadillo dominicano y contesta si son verdaderas (V) o falsas (F) las afirmaciones sobre el texto.

DE COMPRAS EN UN MERCADILLO DOMINICANO

Las pinturas

En la República Dominicana es típica la pintura taína, es decir, la pintura heredada de los indígenas que vivían en el país antes de la llegada de los españoles. El arte taíno refleja una visión mágico-religiosa. Por ese motivo abundan los cemíes, unos ídolos con propiedades mágicas y protectoras.

Otras de las pinturas típicas, que se pueden adquirir en el país, son las que representan a hombres y mujeres trabajando en el campo, bosques, animales y motivos agrícolas. Estos cuadros llaman la atención por la mezcla de colores.

El larimar

El larimar fue descubierto en 1916, aunque no empezó a explotarse hasta hace aproximadamente tres décadas. Es un mineral de color azul, que solamente se encuentra en la República Dominicana, concretamente, en el este de Bahoruco.

Suele trabajarse en joyería engarzado en plata, aunque si la calidad de la piedra es muy buena también se trabaja en oro. Puedes encontrar esta roca semipreciosa en pulseras, colgantes, anillos y pendientes en los mercadillos de todo el país.

Larimar engarzado en plata

La mamajuana

La mamajuana es una bebida que se prepara con diferentes hierbas que se introducen dentro de una botella. Algunos de los ingredientes que se usan son por ejemplo la canela, el maguey, la canelilla, el anís o las pasas. Luego se echa vino tinto, ron y un poquito de miel. Con todos estos ingredientes se deja reposar al menos siete días, pero cuanto más tiempo mejor.

La mamajuana es supuestamente una bebida afrodisíaca y se puede tomar sola o también mezclada en cócteles. Esta bebida es muy popular entre los turistas que visitan República Dominicana. Se puede comprar en bolsas de varios tamaños o en botellas, y es el cliente el que tiene que echar el ron, el vino y la miel para completar el producto.

En el texto se dice que...

	V	F
1 Los taínos consideraban que los ídolos cemíes los protegían.		
2 Las pinturas de mujeres trabajando en el campo son de herencia indígena.		
3 Los cuadros suelen tener un colorido muy llamativo.		
4 El larimar fue descubierto en 1950 aproximadamente.		
5 El larimar solo puede comprarse en el este de Bahoruco.		
6 El larimar no es una piedra preciosa.		
7 La mamajuana es una bebida relajante.		
8 La mamajuana puede tomarse únicamente en las bodegas típicas del país.		
9 La mamajuana tiene propiedades afrodisíacas.		

B Entrevista.

1 Vamos a leer una entrevista a Stephen Krashen, especialista en adquisición de lenguas a nivel mundial. Ya sabes la importancia que tiene el aprendizaje de lenguas para la comunicación global. Antes de leer la entrevista relaciona los siguientes términos con su definición.

1 Adquisición de una lengua

2 Ser bilingüe

3 Segunda lengua

4 Input

5 Bilingüismo

a Cualquier idioma aprendido por una persona, después de haber adquirido su lengua materna.

b Proceso de aprendizaje de una lengua.

c Capacidad de una persona para utilizar indistintamente dos lenguas.

d Hablar dos lenguas.

e Muestras de lengua orales o escritas recibidas durante el proceso de aprendizaje.

2 Lee la entrevista a Stephen Krashen y completa los espacios con una de las siguientes expresiones: *en cuanto, es decir, de hecho, en efecto.*

Esta semana en nuestra revista especializada en la enseñanza de lenguas hemos entrevistado a Stephen Krashen. El doctor Krashen, actualmente jubilado de la Universidad del Sur de California, es una de las principales autoridades mundiales en las áreas de adquisición y educación de lenguas. Es autor de más de 400 libros y artículos sobre temas que tratan la educación bilingüe, el bilingüismo y la adquisición de segundas lenguas.

Doctor Krashen, en primer lugar, muchas gracias por compartir con nosotros su punto de vista sobre el bilingüismo y la enseñanza de lenguas.

No hay de qué. Para mí es una satisfacción poder hablar con ustedes sobre este tema.

Como usted ha señalado, en varias ocasiones, ser bilingüe es una gran ventaja. ¿Pero, a qué tipo de ventajas se refiere concretamente?

(1) _____, a mi modo de ver, ser bilingüe trae consigo varias ventajas y ningún inconveniente. En primer lugar, ser bilingüe te hace más inteligente. Numerosos estudios demuestran que los estudiantes bilingües suelen obtener mejores resultados en la escuela. Además, el bilingüismo ofrece la posibilidad de conseguir mejores salidas laborales.

¿Cuáles son algunos de los ingredientes que debe tener un método efectivo para la enseñanza de segundas lenguas a niños en edad escolar?

Hay dos ingredientes importantes. Por un lado, necesitamos proporcionar a los alumnos abundantes oportunidades de *input* comprensible, este es el aspecto esencial en la adquisición de lenguas. Varias décadas de investigación han confirmado que adquirimos el lenguaje cuando entendemos lo que leemos o lo que oímos. Por otro lado, es muy importante que el *input* sea no solamente interesante, sino casi irresistible, tan interesante que se les olvide que están en una segunda lengua.

¿Depende la adquisición de segundas lenguas de la lengua que se aprende o se sigue en todas ellas un proceso más o menos similar? ¿Por qué algunas personas parecen adquirir las lenguas de manera más fácil que otras?

El proceso es siempre el mismo, independientemente de la lengua que se trate, aunque se puede acelerar con algunas de ellas. Si ambas comparten vocabulario con la misma raíz, lógicamente la segunda lengua resultará más fácil de comprender. Por ello, un hablante español que está aprendiendo francés avanzará más que un hablante de español al aprender chino mandarín.

(2) _____ a su segunda pregunta, nuestras investigaciones nos confirman que todas las personas utilizan los mismos mecanismos del cerebro para aprender el lenguaje, pero existen variaciones individuales en la rapidez con la que se aprende. Las personas reciben distintas cantidades, así como distintos tipos de *input* comprensible, por ejemplo, algunas personas leen mucho y otras no. También las personas varían en cuanto a sus actitudes y motivación. Aquellos aprendices con mayor índice de ansiedad, que son quienes muestran un menor deseo por relacionarse con los hablantes de la lengua, suelen tener menos éxito.

¿Cuál es su opinión en relación con la idea generalizada de que, a partir de un punto determinado en el tiempo («el período crítico»), aprender otra lengua se convierte en una tarea poco menos que imposible?

No hay duda de que los adultos son muy buenos en la adquisición de lenguas y de que pueden adquirir idiomas del mismo modo que los niños, (3) _____, comprendiendo lo que oyen y leen.

Aquí es donde radica el problema, los adultos pueden llegar a ser muy buenos en la adquisición de segundas lenguas y, a menudo, las aprenden casi perfectamente. Pero incluso aquellos adultos que dominan una segunda lengua pueden no sonar como hablantes nativos. A veces, somos muy exigentes, ya que le conferimos una gran importancia incluso a la más pequeña imperfección. Esto es lo que provoca la percepción, errónea, de que los adultos no logran buenos resultados a la hora de adquirir una segunda lengua.

Es interesante comprobar que las imperfecciones de los hablantes avanzados de segundas lenguas se producen siempre en áreas que nada tienen que ver con el hecho comunicativo, como por ejemplo un pequeño acento.

Por último, las autoridades educativas españolas están llevando a cabo un esfuerzo importante para promocionar en las escuelas la enseñanza de otras lenguas, especialmente del inglés. ¿Qué medidas introduciría usted en las escuelas para promover o incrementar el bilingüismo entre los estudiantes?

En primer lugar, permítanme decir lo que no haría. Yo no insistiría en programas de inmersión en los que los niños comienzan en el jardín de infancia o primer grado, y se les expone a una segunda lengua durante toda la jornada. Esto no es necesario.

(4) _____, es más eficaz el iniciar la segunda lengua un poco más tarde, a la edad de diez u once años. Sabemos que los niños mayores progresan más rápidamente que los más pequeños, por tanto, es más rentable comenzar más tarde.

También deberíamos considerar cuáles son nuestros objetivos. En mi opinión, nuestra meta es ayudar a los estudiantes a desarrollar el suficiente dominio de la nueva lengua para que puedan mejorar por su propia cuenta sin nosotros. No necesitamos un programa de inmersión total para ello, con una clase al día a lo largo de varios años, si se hace bien, será suficiente para obtener buenos resultados.

(Texto adaptado de: *http://www.educacenion.gob.es/*)

5 **Escribe.**

Lee estos testimonios sobre las experiencias culturales de tres estudiantes de español. Luego describe alguna situación en la que tú te hayas sentido incómodo o en la que no hayas sabido cómo reaccionar cuando has viajado a España o a otro país.

1 A mí me sorprendió mucho la costumbre que tienen los españoles de ir a tomar algo de beber y nada más. Un día fuimos con la profesora a una cafetería a las 12:00, y yo pedí un vaso de agua. La profesora me explicó que si sales a tomar algo, no es habitual pedir agua del grifo. Me sugirió que pidiera un café, un té, un batido, una cerveza o un refresco. Para mí fue un poco raro, porque en Estados Unidos normalmente salimos a comer y no solo a beber. Ahora ya me he acostumbrado y siempre pido un té con canela, que me encanta.

2 Cuando todavía no llevaba ni una semana en España, me ocurrió algo que ahora ya entiendo perfectamente. Una mañana fui a la parada del autobús. Estaba medio dormido, intenté entrar en el autobús y una señora mayor empezó a gritarme. Al principio no entendí qué le pasaba, pero al final me di cuenta de que me decía: «Ponte a la cola» Claro, ella me estaba diciendo que respetara la cola para subir al autobús. ¡Qué vergüenza! Ahora siempre me pongo en la cola.

3 El otro día tuve una duda importante. Un día fui con una compañera española de clase de la Universidad a tomar café por la tarde. Bueno, pues nos tomamos un café y ella me invitó. Cuando íbamos a pagar ella me dijo: «Yo te invito», y rápidamente sacó los tres euros y pagó. A la semana siguiente fuimos a tomar una cervecita y cada una pagó la suya. La verdad es que sentí que la situación era un poco incómoda.

Luego en clase se lo comenté a mi profesora y esta me aconsejó que la próxima vez la invitara yo. Me dijo que si te invitan una vez, lo normal es devolver la invitación.

¡Qué verde era mi valle!

1. Contenidos gramaticales

1 Completa con el verbo correcto en presente y di qué valor tiene en cada caso.

> entrar · rellenar · llamar · decir · llegar · explicar · ~~salir~~
> escribir · pensar · ir · preguntar

1 Cristóbal Colón _sale_ del Puerto de Palos (Huelva) el 3 de agosto de 1492 y _____ a América el 12 de octubre.
Valor:_____.

2 Ayer la jefa _____ al despacho, _____ por mí y nadie le _____ que estoy enferma. Me pareció fatal que nadie le dijera nada.
Valor:_____.

3 Para crearte un nuevo perfil en esta red social, primero _____ en la página, la _____ con tus datos, y luego _____ la contraseña que vas a poner.
Valor:_____.

4 Luis, hijo, mañana en cuanto abran, _____ a la ferretería y les _____ que estas bombillas tienen mucha potencia para nuestra lámpara, que te las cambien por otras.
Valor:_____.

5 Miguel de Cervantes _____ en 1605 _Don Quijote de la Mancha_, considerada la primera novela moderna y una de las mejores obras de la literatura universal.
Valor:_____.

2 Completa con el futuro simple, el futuro compuesto, el condicional simple o el condicional compuesto y señala en qué casos no se expresa probabilidad.

1 ● Papá, ¿dónde están los abuelos?
▼ (Preparar) _Estarán preparando_ la merienda. Mira en la cocina.

2 ● ¿Cómo sabía que no habíamos comprado nada al final?
▼ Supongo que se lo (decir) _____ ayer Carolina. Yo sé que estuvieron juntas tomando café.

3 ● Creo que no tiene hambre.
▼ Pues, (comer) _____ algo antes, ¿no?
▼ No, solo se ha tomado un zumo de melocotón.

4 ● ¿Cuándo os mandaron la invitación de la boda?
▼ Supongo que nos la (mandar) _____ la semana pasada. Estábamos de viaje, así que no sabemos cuándo llegó.

5 ● Quería saber si habían recibido mi correo porque no me han respondido.

   ▼ Sí, lo hemos recibido. Muchas gracias por enviarnos su currículum. Ya le (llamar) _____.

6 ● ¡Qué calor pasamos la semana pasada en el trabajo!

   ▼ Y eso, ¿por qué? ¿No me dijiste que os habían puesto aire acondicionado?

   ● Pues sí, pero (estropearse) _____. ¡Menos mal que ha vuelto a funcionar!

7 ● ¿Dónde ha puesto Miguel todas las botellas que teníamos para reciclar?

   ▼ No sé, las (bajar) _____ al contenedor.

8 ● El sábado próximo hacemos una comida en nuestra casa de campo. ¿Os apuntáis?

   ▼ (Encantar, a nosotros) _____ ir, pero tenemos planeado estar con la familia ese fin de semana.

3 **Reflexiona y contesta.**

A • *¿Sabes si ya había trabajado antes en otra empresa?*
   • *Si este pueblo no tuviera playa, seguro que la gente se habría marchado también.*

1 ¿Cuál es el uso de **si** en el primer ejemplo? ¿Y en el segundo ejemplo?

valor condicional • valor enfático • introduce una interrogativa indirecta

2 Escribe un ejemplo donde aparezca **si** introduciendo una interrogativa indirecta.

_____

B [En una comida con invitados en casa]

   ● *Lucía, ayúdame a traer el postre.*
   ▼ *Mamá, espérate que estoy escribiendo un mensaje.*
   ● *Te he dicho mil veces que no uses el móvil en la mesa.*
   ▼ *Sí, ya lo sé. ¡Que es solo un momento!*
   ● *Ya hablaremos tú y yo...*

1 ¿Cómo crees qué se siente la madre ante esta situación? ¿Está orgullosa de su hija o está enfadada? ¿Por qué?

_____

2 ¿Qué crees que se está posponiendo con la última frase?

   a Una conversación agradable entre madre e hija.
   b Una bronca o riña.
   c Una charla interesante en privado.

C ● *¿Quién viene al final?*
   ▼ *Pues vienen: Carlos y Sara, Julio y Mari Luz, Pablo, Marta, ¡ah! y Santiago.*
   ● *¡No me digas que has invitado a Santi a la fiesta!*
   ▼ *¿Cómo no voy a invitarlo? ¡Con lo que le gustan estas reuniones!*

¿Qué expresa la última frase?

   a No hay duda de que voy a invitarlo aunque sé que no va a ir a la fiesta.
   b Es obvio que voy a invitarlo y, además, pienso que se va a divertir en la fiesta.
   c No estoy segura de si quiero invitarlo aunque sé que le encantan las fiestas.

4 Completa con el futuro compuesto y el condicional compuesto y elige qué valor tiene: anterioridad (A), probabilidad (P) o hipótesis (H).

	A	P	H
1 ● Cuando llegue Daniela, ya (terminarse) *se habrá terminado* la tarta. ▼ Ella se lo pierde por llegar tarde.			
2 ● Juan Carlos, te quería preguntar por el chico nuevo. ¿Sabes si ya había trabajado antes en otra empresa? ▼ Supongo que ya lo (contratar) _____ porque él parecía tener mucha experiencia.			
3 ● ¡Cuántos pueblos se van quedando sin habitantes! Menos mal que al nuestro llegan muchos turistas. ▼ La verdad es que sí. Pero si este pueblo no tuviera playa, seguro que la gente (marcharse) _____ también.			
4 ● Su coche no está en el aparcamiento. ¿No ha venido a trabajar hoy? ▼ No, seguramente (quedarse) _____ trabajando desde casa.			
5 ● ¿Te acuerdas de cuando a papá le ofrecieron un puesto en Francia? ▼ Sí, es verdad. ¿Te imaginas? ¿Cómo (ser) _____ nuestra vida en el extranjero? ● Pues no sé, pero seguro que hablaríamos francés estupendamente.			
6 ● ¿Cómo es posible que esta calle esté tan sucia? ¡Pero si la acaban de limpiar! ▼ Pues no la (limpiar) _____ bien. Bueno, digo yo. ● O que la han vuelto a ensuciar.			

5 Hoy en Onda Meridional en el programa *Un debate en cinco minutos* hablamos sobre la contaminación del aire en nuestras ciudades. Lee las opiniones de varios ciudadanos y completa la tabla con los recursos que usan los entrevistados.

> **Entrevistador:** ¿Qué medidas proponen ustedes para disminuir la emisión de gases en la ciudad?
>
> **Hombre:** Bueno, a mí me parece bien que nos planteemos la posibilidad de cerrar el tráfico en las zonas de la ciudad que superan los límites de contaminación. Esto podría potenciar el uso del transporte público o de otras alternativas de circulación, como es el uso de las bicicletas.
>
> **Mujer:** Estoy totalmente de acuerdo con esta idea y, de hecho, creo que esta es la tendencia que hay en la mayoría de los centros de las ciudades españolas. Pero, tal vez tendríamos que tomar medidas más drásticas y plantearnos la posibilidad de una restricción vehicular. Así se ha hecho en algunas ciudades, donde alternan el uso de los vehículos según la terminación par o impar del número de matrícula. Esto supone una importante reducción de las emisiones.
>
> **Entrevistador:** Podría explicarnos un poco mejor cómo funciona esta medida de las matrículas pares e impares.
>
> **Mujer:** Pues, un día solo salen a la calle los coches cuya matrícula es par, y al día siguiente solo salen los coches con matrícula impar...

Chico: Yo estoy de acuerdo con usted. A mí me parece estupenda la idea de una restricción de coches. Yo he estado unos meses viviendo en México, concretamente en el D.F., y allí también han aplicado un programa pensado para la reducción de la contaminación que se llama *Hoy no circula*.

Entrevistador: ¿Y en qué consiste dicho programa? ¿Qué diferencias tiene con la restricción de matrículas par e impar?

Chico: Es parecido, pero solo te restringen la circulación del vehículo un día a la semana, entre lunes y viernes. Dependiendo del último número de la matrícula.

Hombre: Pues, perdonen ustedes, pero a mí no me parece una medida justa. De hecho, estoy totalmente en contra de este tipo de restricciones, ya que las personas que tienen menos medios económicos podrían verse perjudicadas.

Entrevistador: ¿A qué se refieren con que las personas con menos medios económicos podrían verse perjudicadas?

Hombre: Pues, que las personas con más posibilidades económicas, por ejemplo, en el caso de Pekín tendrían dos coches, uno con matrícula par y otro impar. De manera que, para ellos, no habría restricción de ningún tipo.

Entrevistador: Hasta el momento parece que no hemos llegado a ningún acuerdo general. ¿Proponen otras soluciones?

Chico: Para mí, la mejor solución es bien sencilla, tendríamos que fomentar el uso de los coches eléctricos.

Mujer: ¡Bien dicho! Si todos tuviéramos coches eléctricos, no solo evitaríamos la contaminación ambiental, sino también la acústica.

Hombre: A mí también me parece lo más lógico si queremos reducir la emisión de gases y la contaminación atmosférica en las ciudades, pero no conozco qué otros problemas medioambientales pueden causar: reciclado de baterías, mayor consumo eléctrico, ...

Entrevistador: Pues, se nos acaba el tiempo y no podemos ampliar más este debate, lo dejaremos para el siguiente programa. Muchas gracias por su participación.

EXPRESAR APROBACIÓN	EXPRESAR DESAPROBACIÓN
-	-
-	

EXPRESAR ACUERDO	POSICIONARSE EN CONTRA
- *Estoy totalmente de acuerdo con esta idea...*	-
-	**POSICIONARSE A FAVOR**
	-

2. Contenidos léxicos

1 **Sustituye la parte marcada en negrita por la opción que tenga un significado equivalente.**

1 Pobrecitos los perros que abandonan en la calle. **¡Me dan una pena!**
  a ¡Qué lástima me dan!
  b ¡Merecen la pena!
  c ¡Qué faena!

2 Carmela **está en contra de** todas las opiniones del nuevo gobierno.
  a está desencantada con
  b no está a favor de
  c considera que son falsas

3 Ayer vimos un accidente. **¡Menos mal que** no hubo heridos!
  a Afortunadamente
  b Actualmente
  c Desgraciadamente

4 En la casa de al lado tienen **muchas mascotas**.
  a muchos animales de la granja
  b muchos animales salvajes
  c muchos animales de compañía

5 ● ¿Has hablado ya con Jorge?
  ▼ Sí. **Por cierto**, me pidió que te dijera que contaras con él para el sábado.
  a Por un lado,
  b A propósito,
  c Por eso,

6 **Me parece fatal** que la gente no recicle.
  a Me parece genial
  b Es horrible
  c Es muy mal

7 Existen fuentes de energía renovables, como por ejemplo, la energía **mareomotriz**.
  a del viento
  b de los embalses
  c de las mareas

8 Me encanta pasear por el centro histórico porque tiene una amplia zona **peatonal**.
  a sin tráfico
  b sin basura
  c sin contaminación

9 Se me olvidó echarle aceite al coche y **casi** se rompe el motor.
  a aproximadamente
  b poco más o menos
  c por poco

10 La gente de campo suele tener perros que cuidan **los grupos de ovejas**.
  a las manadas
  b los rebaños
  c los enjambres

2 **Aquí tienes cinco noticias breves sobre distintos aspectos relacionados con el medioambiente y la naturaleza. Escribe titulares para cada una usando el vocabulario que te proporcionamos. Recuerda que el titular debe ser impactante y no muy largo.**
Luego, podéis jugar a adivinar de qué noticia se trata leyendo solo el título.

> planeta azul • contaminación • parques zoológicos • energías renovables • productos biológicos
> cambio climático • energía de la biomasa • industrias contaminantes • vías de extinción
> dietas macrobióticas • pesca • animales domésticos

1 _____

En Indonesia solo quedan 2600 ejemplares del elefante de Sumatra en estado salvaje, la mitad de los que había en 1985. Este elefante corre el peligro de extinguirse en los próximos treinta años debido a la deforestación.

2

Un equipo de científicos españoles reclama un esfuerzo sistemático para reducir el impacto del calentamiento global en el Polo Norte. La velocidad del calentamiento supera ya a la de adaptación natural de los ecosistemas árticos. Además, las comunidades esquimales están viendo peligrar su seguridad, su salud y sus actividades culturales tradicionales.

3

El consumidor podrá encontrar alimentos frescos, de calidad y podrá conocer directamente el origen. Cada vez es más importante la conciencia ecológica y sostenible: el consumo de alimentos respetuosos con el medioambiente y, sobre todo, locales, que no necesitan transporte ni embalaje, por lo que no contaminan el entorno.

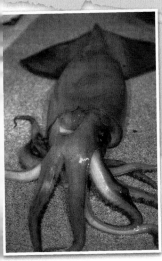

4

Pescadores australianos han sacado de las profundidades marinas un calamar de 6 metros de largo y 230 kilos de peso. El cefalópodo se conserva en un frigorífico industrial hasta que el museo de Melbourne decida qué hacer con él.

5

Barcelona estudia prohibir la circulación de los coches de más de diez años por ser los que más CO_2 producen en las ciudades. El objetivo principal de esta iniciativa es fomentar el transporte público y sacar de las calles los coches más contaminantes.

3. De todo un poco

1 **Interactúa.**

Expresad vuestra aprobación o desaprobación y vuestra opinión sobre estas afirmaciones.

Los niños menores de tres años no pagan en los zoológicos.

Los aerogeneradores (molinos de viento) deberían estar prohibidos porque matan a muchas aves.

Algunos ayuntamientos ofrecen casas gratuitas o con alquileres muy bajos para fomentar el repoblamiento de pueblos con pocos habitantes.

Si te vas de vacaciones, deberías dejar tu mascota en un hotel de animales.

Los productores de alimentos ecológicos no pueden utilizar para su producción semillas o plantas transgénicas.

Solo deben comercializarse cigarros que se apagan solos para evitar los incendios de bosques.

Se ha puesto de moda tener cerdos de origen vietnamita como mascotas.

Un inconveniente evidente de las energías renovables es su impacto visual en el ambiente local.

2 **Escucha.**

Hoy es 29 de abril y se celebra el Día del animal en Argentina. **)³**
Por este motivo, nuestro periodista de Onda Meridional ha entrevistado a Pablo
Romano, presidente de la Asociación Chichos de San Clemente en Buenos Aires
que se encuentra de visita por España. Escucha y contesta a las siguientes pre-
guntas.

1 ¿Por qué se crea la Asociación Chichos?

_____.

2 ¿Por qué los perros de la calle pueden ser peligrosos?

_____.

3 ¿Dónde viven los perros antes de ser adoptados?

_____.

4 ¿De dónde se obtiene el dinero para mantener a estos animales?

_____.

5 ¿Estás de acuerdo con el mensaje que Pablo Romano transmite a las
personas que quieren tener una mascota? ¿Por qué?

_____.

6 ¿Crees que la Asociación Chichos está cumpliendo su objetivo? ¿Por qué?

_____.

3 **Lee.**

1 Lee este texto sobre el ecoturismo y relaciona las palabras marcadas en negrita
con las siguientes definiciones.

1 Conservar y proteger a los animales y las plantas.	
2 Medio natural que comprende todos los seres vivientes y no vivientes que existen en la Tierra.	
3 Variedad de especies animales y vegetales en su medioambiente.	
4 Residuo, basura.	
5 Aquellos medios que se agotan y no se pueden regenerar.	
6 Bienes materiales y servicios que proporciona la naturaleza sin alteración por parte del ser humano.	
7 Multitud o aglomeración de personas.	
8 Comportamientos violentos.	
9 Proceso que tiene como objetivo satisfacer las necesidades de las generaciones presentes sin comprometer las posibilidades de las del futuro.	

Ecoturismo

¿Qué es el Ecoturismo?

El ecoturismo es una forma de turismo centrado en la naturaleza que se caracteriza por estar fuertemente orientado al **desarrollo sostenible**.

Algunos gobiernos y empresas del sector turístico ofrecen como ecoturismo cualquier clase de turismo basado en la naturaleza. Pero actividades como acampadas, senderismo, estancias en casas rurales no son necesariamente ecoturismo, en la mayoría de los casos es solamente turismo en la naturaleza.

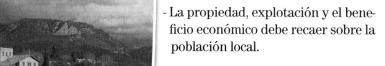

¿Cómo distingo el ecoturismo del turismo en la naturaleza?

Para distinguir una oferta de ecoturismo debemos tener en cuenta diversos factores:

- La actividad debe contribuir a la conservación de la **biodiversidad** y salvaguardar el medioambiente y los **recursos naturales**.
- Debe sostener el bienestar de la población local.
- La experiencia debe fomentar el aprendizaje del **entorno natural**.
- Se desarrolla en grupos pequeños y huye de la **masificación**. Las empresas que lo ofrecen también son pequeñas.
- Debe realizarse disminuyendo al máximo la utilización de **recursos no renovables**, ahorrar recursos naturales escasos y valiosos, en particular el agua y la energía, y evitar en lo posible la producción de **desechos**.

- La propiedad, explotación y el beneficio económico debe recaer sobre la población local.

¿Qué responsabilidades implica practicar ecoturismo?

Cuando eres ecoturista actúas en un medio natural que, en la mayoría de los casos, es muy vulnerable, por tanto implica un fuerte compromiso.

Tu paso por el medio natural debe dejar la menor huella posible y tu responsabilidad es denunciar **prácticas no respetuosas o agresivas**. Por otro lado, debes admitir las limitaciones que se impongan, sobre todo cuando tiendan a **preservar las especies** en peligro de la fauna y de la flora silvestre.

¿Te animas?

Piensa en otro concepto de vacaciones, pasa tu tiempo libre en la naturaleza, aprende de ella y contribuye a la conservación del medioambiente. Si te animas, en internet existen muchos portales dedicados al ecoturismo, con interesantes destinos tanto en España como el extranjero. Uno de los más importantes en nuestro país es: *www.ecotur.es* donde se pueden consultar interesantes iniciativas de turismo y naturaleza comprometidas con el desarrollo sostenible.

(Texto adaptado de: *http://casaecohabitada.blogspot.com*)

2 Elige la opción correcta.

Según el texto, el ecoturismo...

1 a es un tipo de turismo basado en las especies en extinción.

b es un tipo de turismo basado en la sostenibilidad.

2 a puede practicarse únicamente en España.

b ofrece lugares atractivos fuera y dentro España.

3 a se desarrolla en espacios muy turísticos.

b se desarrolla en espacios vulnerables.

4 a fomenta que los beneficios recaigan en los pequeños empresarios.

b fomenta que el dinero vaya destinado a las necesidades locales.

5 a busca la conservación y protección del medioambiente.

b promueve el turismo en la naturaleza con grupos de muchos amigos.

4 **Interactúa.**

1 **En España son muy habituales las granjas escuela. Vamos a comprobar si sabéis lo que son. Elegid la opción correcta.**

1 ¿Qué es una granja escuela?
  a Una escuela para que los animales domésticos aprendan a comportarse.
  b Un centro educativo destinado a familiarizar a los niños con la vida rural.
  c Una escuela donde se educa a niños para que crezcan fuertes y sanos.

2 ¿Qué se hace normalmente en una granja escuela?
  a Conocer y cuidar a los animales.
  b Aprender a preparar platos de cocina innovadores.
  c Hacer excursiones a los zoológicos.

3 ¿Qué tipo de público es el más habitual?
  a Jubilados.
  b Niños.
  c Familias numerosas.

2 **Leed las opiniones que dan alumnos y profesores sobre una granja escuela. Comprobad que habéis deducido correctamente lo que es una granja escuela y comentad qué actividades han realizado estas personas.**

A mí me ha encantado la granja escuela porque nunca había visto un cerdo tan cerca. (Hugo, 8 años)

Me lo he pasado muy bien ordeñando la vaca Manola. (Lucía, 10 años)

He aprendido a preparar pan. De mayor quiero ser panadero… (Fabio, 7 años)

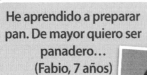

¡Qué bonitos eran los pollitos! ¡Y hemos recogido algunos huevos! (Carola, 9 años)

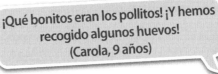

Las actividades que habéis organizado han sido muy divertidas, todas al aire libre. Nos ha encantado recolectar las frutas de los árboles. (Profesora Ana. Colegio García Lorca)

Una experiencia muy educativa y agradable para nuestros alumnos. Lo recomendamos a todos los colegios. (Jefe de estudios del colegio Miramar)

3 En parejas, pensad y decidid cuáles de estas actividades suelen ser habituales en una granja escuela. ¿En tu país existen granjas escuela o lugares parecidos donde se puedan hacer este tipo de actividades?

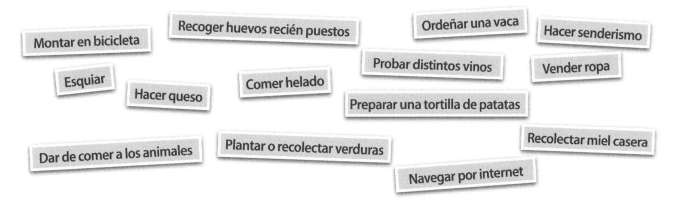

Montar en bicicleta

Recoger huevos recién puestos

Ordeñar una vaca

Hacer senderismo

Esquiar

Probar distintos vinos

Vender ropa

Hacer queso

Comer helado

Preparar una tortilla de patatas

Dar de comer a los animales

Plantar o recolectar verduras

Recolectar miel casera

Navegar por internet

5 Escribe.

Tus compañeros de clase y tú tenéis curiosidad por conocer una granja escuela así que habéis decidido ir. Pero antes vais a escribir un correo electrónico a esta dirección: *granjaescuela@yuju.com*, para comprobar si es posible que acepten grupos de alumnos adultos. Debéis ser amables y educados, y explicarles cuál es vuestra situación y por qué estáis tan interesados.

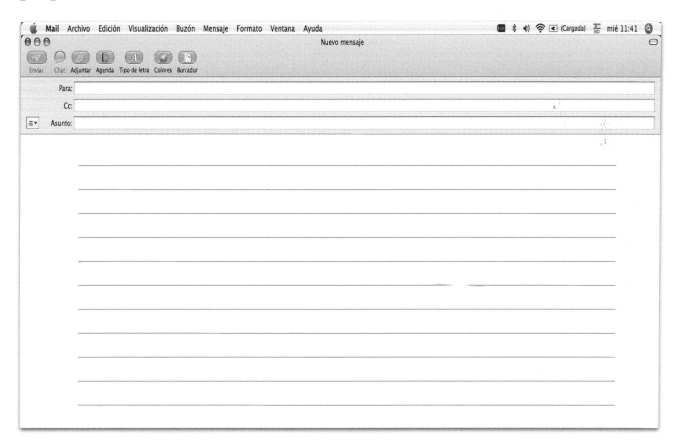

El placer del arte

1. Contenidos gramaticales

1 **A** **Completa el texto sobre Nacho Díaz, un joven diseñador gráfico, con la forma verbal adecuada.**

Nacho Díaz es un joven español conocido en internet **por** (1) (crear) *crear* ilustraciones muy divertidas y con gran sentido del humor. En sus ingeniosos dibujos podemos ver por ejemplo un caracol en un círculo sin fin, **puesto que** (2) (querer) _____ fregar el rastro de babas que él mismo va dejando. O un conejo que (3) (estar) _____ harto de sufrir desgracias y **por eso** (4) (llevar) _____ consigo una pata de humano para la buena suerte. O un imán que se concentra **porque** (5) (querer) _____ doblar con la mente una cuchara, y lo consigue. Este artista ha sabido aprovechar las nuevas tecnologías para darse a conocer, **ya que** diferentes páginas de internet (6) (encargarse) _____ de publicar su trabajo para que la gente compre la ilustración que más le guste. Su humor se imprime en varios formatos, **de ahí que** los (7) (usar) _____ no solo en camisetas, sino también en carcasas para móviles o pegatinas para portátiles. Si te (8) (interesar) _____ sus dibujos puedes verlos a través de la página web *www.naolito.com*.
Aunque la mayoría de sus trabajos son diseños de camisetas, Nacho siempre está pensando en nuevos proyectos, **así es que** (9) (poder) _____ escribirle si tienes alguna idea interesante.

B **Si queréis podéis consultar la página de Nacho Díaz: *www.naolito.com* y comprobar si entendéis el humor de todas sus ilustraciones. ¿Crees que esto es arte?**

2 **Elige el indefinido adecuado en cada caso.**

1 ● ¿Sabes *algo/tanto* de Luisa? Hace mucho que no la veo.
   ▼ Pues, hablé con ella hace *varios/otros* días, pero no he vuelto a saber *algo/nada* de ella desde entonces.
2 ● Lleva *algunos/tantos* días lloviendo que en cuanto pare, pienso irme a la playa. ¿*Alguien/Algún* se apunta?
   ▼ Creo que *todos/cualquiera* los que estamos aquí nos apuntamos.
3 ● No sé qué cuadro llevarme. Es que tenemos *varios/tantos* en casa que no vamos a saber dónde ponerlo.
   ▼ Mira, *cualquiera/cada* de estos dos está bien, son pequeños y seguro que te caben.
4 ● ¿No tienes *ninguna/otra* dirección de correo? Últimamente tengo *muchos/pocos* problemas para enviarte mensajes a esta dirección.
   ▼ Sí, tengo otra, pero no la abro *mucho/bastante poco*.
5 ● ¿Ya has comprado *todo/tanto* lo que necesitamos para el viaje?
   ▼ La verdad es que todavía no he comprado *algo/nada*. No he tenido tiempo de llamar para que *alguien/nadie* me explique lo que necesitamos llevar.

3 En el siguiente texto un padre le explica a su hija la historia de una cerámica que tienen en casa. Completa con la partícula causal y consecutiva que corresponda en cada caso.

> gracias a • no porque • debido a • en vista de que • ~~como~~ • por • tanta … que
> de ahí que • ya que • así es que

Papá, cuéntame otra vez, la historia del toro que hizo mamá...

(1) _____*Como*_____ a tu madre siempre *se le había dado muy bien* el dibujo, desde niña tuvo claro que quería estudiar Bellas Artes. Por este motivo, los abuelos decidieron apuntarla a clases de pintura, (2) _____ empezó a pintar bodegones y paisajes siendo muy pequeña. Cuando cumplió los 21 años y estaba en el último año de carrera, se planteó la posibilidad de ir de Erasmus a Italia, pero (3) _____ quisiera aprender italiano, sino para conocer de cerca la pintura italiana, (4) _____ siempre le había encantado. (5) _____ esta beca tuvo la posibilidad de hacer realidad su sueño.

En Italia conoció a (6) _____ gente _____ se sentía como en casa. A través de la Universidad hizo amistad con profesores de arte, pintores y escultores, (7) _____ tuviera la oportunidad de moverse en un ambiente de artistas y profesionales.

Un mes antes de volver a España le dieron un premio (8) _____ una escultura de cerámica con forma de toro. (9) _____ la cerámica había causado tanta admiración, cuando llegó a España decidió hacer una serie de la misma obra en distintas posiciones.

Varias de estas obras están repartidas por museos de todo el mundo. La que recibió el premio, (10) _____ los recuerdos que le trae, es la que conserva en casa con mucho cariño.

Para aclarar las cosas
Dársele bien algo a alguien: ser bueno/a en algo, tener facilidad, habilidad natural para hacer algo.

4 Reflexiona y contesta.

A ¿Qué diferencia observas entre los dos ejemplos? Justifica el uso de *por eso* y *de ahí que* en ambos casos.

- *No tenía tu número de teléfono, **por eso** no he podido llamarte antes.*
- *Habíamos perdido todos sus datos, **de ahí que** no nos hubiéramos puesto en contacto con usted antes.*

_____

_____.

B Ya sabes que *¡jo!* se usa en el lenguaje juvenil y que es coloquial. ¿Qué sentimiento expresa en estos ejemplos?

1 ● *Hoy terminaba el plazo para solicitar las becas de investigación.*
▼ *¿Por qué no me has avisado antes de que se acabara el plazo? **¡Jo!** Yo también quería solicitar esa beca...*

    a Disgusto   **b** Sorpresa

2 ● *Ya estamos listos. ¿Nos vamos?*
▼ *¡**Jo!** ¡Qué guapos os habéis puesto! Si lo llego a saber, me arreglo más.*

    a Admiración   **b** Extrañeza

3 ● *¿Sabes que es la una de la madrugada?*
▼ *¡**Jo!** ¡No sabía que era tan tarde! Me tengo que ir...*

    a Admiración   **b** Sorpresa

4 Ahora reacciona e intenta escribir dos respuestas con *¡jo!*, una que exprese disgusto y otra sorpresa.

- *Me han dado entradas gratis para el museo.*

Disgusto: *¡Jo!* _____
Sorpresa: *¡Jo!* _____

C ¿En qué contextos crees que podrías usar estos ejemplos? Justifica tu repuesta.

1 *No has dejado nada. ¡Eres un tragón!*
 a Con un familiar.   **b** Con tu jefe.

2 *Venga, luego nos vemos.*
 a Con un médico.   **b** Con un compañero de trabajo.

3 *Ni se te ocurra comprarlo, es un robo.*
 a Con un amigo.   **b** Con un cliente.

D **Elige la respuesta correcta.**

1 *Déjalo dormir un poco más, que no se encuentra bien.*
 a ¡Ah, claro! Está malito, el pobre... **b** ¡Aaaaah! ¡Qué bien!

2 *Ayer me dieron los resultados de la analítica y todo bien.*
 a No pares, anda más rápido.   **b** Me alegro mucho.

3 *Te llamo cuando llegue, que estoy conduciendo.*
 a Venga, ahora hablamos.   **b** Venga, venga, que tengo prisa.

2. Contenidos léxicos

1 A **Presta mucha atención porque vas a escuchar diez definiciones de un diccionario de arte y arquitectura. Gana el/la que más palabras consiga acertar. Si hace falta podéis escuchar las definiciones una vez más.**

1 _____
2 _____
3 _____
4 _____
5 _____
6 _____
7 _____
8 _____
9 _____
10 _____

B **Comprueba las soluciones de la actividad anterior y completa estos ejemplos con las palabras del diccionario.**

1 Mi hermana dibuja muy bien y ha hecho un _____ tan real que parece que la mujer se va a salir del cuadro.

2 Han cambiado la _____ de lugar, antes estaba en la plaza Mayor.

3 Gonzalo ha empezado un curso de pintura y hoy ha hecho un _____ con frutas.

4 Le hemos comprado una caja de acuarelas y unos _____ profesionales por su cumpleaños.

5 Miriam y Álex han ido de viaje a Marruecos y han traído unas _____ preciosas para decorar la tetería.

6 Hoy en la clase de dibujo hemos hecho un _____ de lo que vamos a hacer en las próximas clases.

7 ¿Has visto cómo impresiona la _____ que tiene esta iglesia?

8 Hemos visitado el Museo del Vidrio y hemos podido ver cómo trabajaban el _____ en el siglo XIX.

9 Todos los cuadros que tiene la abuela son pinturas al _____.

10 Valeria está estudiando Bellas Artes porque le encanta la pintura, sin embargo no le gusta nada la _____.

3. De todo un poco

1 **Habla.**

Elige uno de estos temas. Prepara las preguntas que te damos y expresa tu opinión.

A **El museo se traslada a casa.**

Cada vez es más habitual la posibilidad de hacer visitas virtuales a grandes museos y monumentos históricos. A partir de ahora, tienes la oportunidad de conocer en profundidad de forma virtual gran parte de las mejores obras pictóricas del mundo, gracias a las herramientas de Google Art Project.

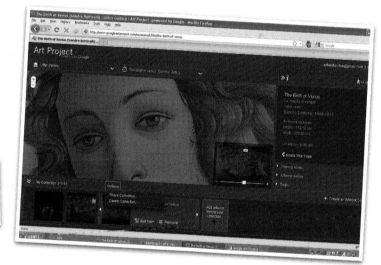

¿Qué te parece esta herramienta de Google? ¿Estás de acuerdo con las visitas virtuales a los museos? Expón las ventajas e inconvenientes.

¿Crees que favorece la difusión de la cultura?

¿Crees que es lo mismo ver un cuadro al natural que en una pantalla de ordenador?

¿Crees que los museos públicos deberían virtualizar sus obras? ¿Y los privados?

¿Realizarías una visita virtual a un museo al que vas a ir próximamente?

B *Bailarines* de Botero a 1,7 millones de dólares.

> *La escultura* **Bailarines**, *del artista colombiano Fernando Botero, fue vendida en Nueva York por 1,7 millones de dólares (1,25 millones de euros), con lo que se convirtió en la gran protagonista de la puja de arte latinoamericano de la temporada de otoño que organizó la casa de subastas Christie's en Nueva York.*

¿Qué te parece el precio al que se vendió esta escultura?

¿Has ido o te gustaría ir a una subasta de obras de arte?

¿Cómo establecerías el precio de una obra de arte?

¿Crees que comprar obras de arte puede ser una buena inversión?

2 Escucha.

1 Vas a escuchar una conversación telefónica entre dos amigos, Paula y Sandro. Sandro ha llamado a Paula para pedirle información sobre el museo Picasso y el museo Carmen Thyssen. Antes de escuchar la audición. ¿De qué ciudad crees que están hablando?

> **a** Madrid
> **b** Málaga
> **c** Sevilla

2 Escucha la audición y presta atención a los detalles. Luego elige la opción correcta.

1 Sandro no ha llamado antes a Paula porque...
a unos amigos han estado de visita.
b ha estado muy ocupado.
c ha estado de viaje.

2 Los padres de Sandro llegaron a Málaga hace...
a poco.
b varias semanas.
c bastante.

3 Sandro piensa que Paula puede ayudarles...
a acompañándoles a los museos.
b explicándoles todas las obras.
c facilitándoles información general sobre los museos.

4 Paula le explica que ambos museos son...
a muy bonitos.
b muy parecidos.
c muy diferentes.

5 Paula le explica a Sandro que el museo Picasso alberga...
a retratos de Picasso únicamente.
b cerámicas de algunos artistas importantes.
c obras de Picasso principalmente.

6 Los cuadros del museo Carmen Thyssen son todos...
a de autores andaluces.
b de paisajes románticos y pinturas costumbristas.
c del siglo XVI.

3 Ya habrás comprobado que Sandro es argentino. Vuelve a escuchar la audición y señala los rasgos que observas propios del español de Argentina. Luego, piensa en cómo diría un español lo siguiente.

1 *Les estoy mostrando la ciudad...* _____

2 *Vos conocés los dos, ¿cierto?* _____

3 *¡Bárbaro! Te llamo cuando se vayan mis padres.* _____

3 **Lee.**

A **Fernando Botero.**

1 Te presentamos una entrevista que le han hecho al famoso pintor y escultor Fernando Botero. Antes de leer, en parejas, vamos a averiguar quién sabe más de Fernando Botero.

 to find out

a ¿De qué país es Fernando Botero?

Colombia

b ¿Creéis que el siguiente bodegón es de Botero?

No

c ¿Cuál de las siguientes esculturas es de este artista?

Escultura 2

Escultura 1

Escultura 2

2 Lee el texto y elige la respuesta correcta.

En primer lugar queremos agradecerle a Fernando Botero que nos dedique este tiempo. Gracias a ustedes por la invitación.

Bueno, no le entretenemos mucho porque es casi la hora de comer y hablando de comer... ¿por qué está tan presente la comida en su obra?

La comida es muy pictórica y me da una gran libertad de color. En mi obra, la variedad y la fuerza de los colores es muy importante, y la comida me permite hacerlo.

¿Por qué en la historia del arte los bodegones son un tema tan habitual?

Es algo que viene desde siglos atrás. Desde el siglo XVI, principalmente, el bodegón tomó una gran fuerza, aunque desde la antigüedad hay antecedentes importantes.

¿Cómo pinta las frutas? ¿Las tiene que poner frente a usted o se las imagina?

Todo en mi obra es producto de la imaginación. El modelo frente al artista es una esclavitud y a mí lo que me interesa no es la representación de algo, sino una presentación. Pero en la historia del arte hay de todo. Van Gogh, por ejemplo, acudía a modelos; otros como Picasso, no.

¿Cuáles son las frutas que están más presentes en sus pinturas?

En América Latina, muchos pintores hemos usado la sandía por ese color tan llamativo, ya que en el arte europeo no se ve mucho esa fruta. En Europa se ven muchos melones, pero no se ven tantas sandías. A mí me gusta pintarlas por ese color fucsia tan imponente.

Su comienzo como artista no fue nada fácil tanto en Colombia como en el exterior. ¿Cómo fueron los inicios?

Hice mi primera exposición en Bogotá con 19 años, ahí me gané unos pesos y me pagué nueve meses de estadía en Tolú, a donde me fui a pintar. Luego volví a Bogotá y se vendió toda la exposición y me gané un premio de pintura que era como siete mil dólares de esa época y me fui a Madrid.

Usted es reconocido por sus 'gordos' pero, a la vez, siempre que puede dice que nunca en su vida ha pintado un gordo. ¿Cuál es la verdad del asunto?

He tratado de explicar que esta deformación geométrica yo la aplico a todo lo que hago. Yo no pinto gordos, es un trabajo con el volumen lo que me interesa. El volumen ha sido muy importante en la historia del arte y yo también estudié en Florencia, que es la cuna del volumen y del espacio. Los florentinos fueron los que hicieron el descubrimiento del proceso sobre una superficie plana.

¿Cómo hace para que ese estilo evolucione y no se vuelva una repetición de lo mismo?

El estilo evoluciona necesariamente. Hay una diferencia muy grande entre lo que pinté hace diez, veinte o treinta años atrás. Pero una cosa es evolucionar y otra cambiar. Yo siempre que me refiero al «gran arte», me refiero a esa marca del estilo.

De artistas colombianos de su generación, ¿a cuál admira?

El que más me gusta es Luis Caballero, tiene un estilo y una fuerza dramática muy grande.

¿En este momento de su vida qué le queda por hacer como artista?

Yo solo quiero seguir trabajando hasta el último día de mi vida.

(Adaptado de: Europa Press 25/05/2010
www.eleconomista.es)

---

1 ¿Por qué a Fernando Botero le gusta pintar la comida?
- **a** Por su colorido.
- **b** Por su variedad.

2 ¿Por qué muchos artistas pintan bodegones?
- **a** Porque admiran la pintura del siglo XVI.
- **b** Porque es un tema recurrente desde la antigüedad.

3 ¿Por qué Botero prefiere imaginar lo que va a pintar?
- **a** Porque le gusta sentirse libre.
- **b** Porque quiere hacer una representación.

4 ¿Por qué pinta sandías?
- **a** Porque le gusta su color.
- **b** Porque los melones son más difíciles de encontrar.

5 Las primeras veces que Botero ganó dinero con sus obras fue en...
- **a** su país.
- **b** el extranjero.

6 Botero piensa que su obra de hace 10 o 20 años no es una repetición porque...
- **a** ha cambiado.
- **b** ha evolucionado.

3 Ahora te toca a ti. Haz una breve presentación de algún pintor, escultor
o arquitecto famoso de tu país.

_____

_____

_____

_____

_____

_____

_____

_____

_____

_____

_____

_____

_____

_____

_____

_____

_____

B **Ciudad de las Artes y las Ciencias.**

1 **Antes de leer el texto relaciona los nombres de los seis grandes elementos
arquitectónicos que componen la Ciudad de las Artes y las Ciencias con
su descripción.**

1 El Hemisférico   D

2 El Museo de las Ciencias
Príncipe Felipe   F

3 El Umbráculo   A

4 El Oceanográfico   B

5 El Palacio de las Artes Reina
Sofía   E

6 El Ágora   C

a Es el pórtico monumental de acceso.

b Es un acuario con más de 500 especies
marinas.

c Es un espacio multifuncional pensado
como una gran plaza pública.

d En ese edificio hay un cine IMAX y se
realizan proyecciones digitales.

e Éste edificio está dedicado a
la programación operística.

f Es un innovador centro de ciencia
interactiva.

2 Lee y comprueba si las soluciones de la actividad anterior son correctas.

La Ciudad de las Artes y las Ciencias de Valencia es un conjunto único dedicado a la divulgación científica y cultural. Este complejo es obra, principalmente, del arquitecto valenciano Santiago Calatrava y sorprende por su arquitectura y por su inmensa capacidad para divertir y estimular las mentes de sus visitantes.

La Ciudad de las Artes y las Ciencias está integrada por seis grandes elementos arquitectónicos donde se pueden conocer diferentes aspectos relacionados con la ciencia, la tecnología, la naturaleza o el arte.

El primero de estos grandes elementos es el **Hemisférico** donde se encuentra un cine IMAX y se realizan proyecciones digitales. El singular y espectacular edificio representa un gran ojo humano, el ojo de la sabiduría. Este elemento simboliza la mirada y observación del mundo que los visitantes descubren a través de sorprendentes proyecciones audiovisuales.

En segundo lugar, el **Museo de las Ciencias Príncipe Felipe** que es un innovador centro de ciencia interactiva. El edificio destaca por la elegancia de sus formas arquitectónicas y alberga multitud de actividades e iniciativas relacionadas con la evolución de la vida y la divulgación científica y tecnológica.

Otro de los elementos arquitectónicos del conjunto es el **Umbráculo** que es el pórtico monumental de acceso y supone una novedosa solución para las necesidades de aparcamiento del complejo. Es un paseo mirador ajardinado conformado por una serie de 55 arcos fijos y 54 arcos flotantes de 18 metros de altura.

Uno de los elementos más atrayentes para los visitantes es el **Oceanográfico**. Este acuario con más de 500 especies es el mayor complejo marino de toda Europa, que propone un recorrido por los ecosistemas marinos más importantes de todos los mares y océanos del planeta. Además, funciona como plataforma para la investigación científica.

Por otro lado, dedicado principalmente a la programación operística está el **Palacio de las Artes Reina Sofía**. La innovadora arquitectura del edificio principal alberga cuatro auditorios para diferentes espectáculos de ópera, teatro y música, y sorprende por su variedad de ambientes.

En último lugar, el **Ágora** que es un espacio multifuncional pensado como una gran plaza pública con estanques y paseos adyacentes. Está formado por una estructura metálica similar a una elipse, con un área cubierta de aproximadamente 4811 metros cuadrados.

3 Lee estas afirmaciones y señala si son verdaderas (V) o falsas (F).

	V	F
1 La Ciudad de las Artes y las Ciencias de Valencia impresiona por sus dimensiones y por su amplio aparcamiento.		F
2 Todo el complejo que constituye la Ciudad de las Artes y las Ciencias está diseñado por un único arquitecto.		F
3 La Ciudad de las Artes y las Ciencias promueve la difusión de la ciencia y la cultura.	✓	
4 El Ágora y el Palacio de las Artes Reina Sofía albergan auditorios pensados para espectáculos teatrales.		F
5 El Oceanográfico no solo funciona como un acuario.	✓	
6 En el Hemisférico se pueden ver asombrosos contenidos multimedia.	✓	

4 **Escribe.**

1 El Ministerio de Asuntos Exteriores y de Cooperación de España ha convocado unas becas que pueden interesarte. Lee la siguiente información y decide qué beca te interesa solicitar. Justifica tu respuesta.

> El Ministerio de Asuntos Exteriores y de Cooperación convoca las siguientes becas:
> - Becas para extranjeros para estudios de doctorado en España. Duración: 24 meses.
> - Becas para extranjeros para investigación en la lengua y cultura españolas en universidades españolas. Duración: 12 meses.
> - Becas para españoles para investigación en la lengua y cultura hispánica en universidades iberoamericanas. Duración: 24 meses.
> - Becas para españoles de cooperación cultural en el exterior. Duración: 18 meses.
> - Becas para extranjeros de cooperación cultural en España. Duración: 18 meses.
> - Becas para extranjeros para cursos de lengua española en centros superiores españoles. Duración: 4 meses.
> - Becas para extranjeros para cursos especializados y cursos de verano en España. Duración: 2 meses.

2 Antes de preparar la solicitud y el CV, comprobad en parejas si cumplís los requisitos necesarios para solicitarla.

Los requisitos necesarios para obtener estas becas son:

a Para los solicitantes extranjeros, tener la nacionalidad de su país de origen y no poseer la residencia en España. Para solicitar los programas de becas para españoles, tener nacionalidad española.

b Solicitud de una sola beca por persona y convocatoria.

c No haber sido beneficiario de ningún programa de la Convocatoria de Becas del Ministerio de Asuntos Exteriores y de Cooperación en los últimos tres años.

d Poseer la titulación necesaria que se requiera legalmente para cursar los estudios elegidos en el momento de solicitar la beca.

e No haber superado, preferiblemente, los 35 años de edad a la fecha de finalización del período de solicitud de la beca.

f Para los ciudadanos de países cuya lengua oficial no sea el español, poder acreditar el suficiente conocimiento de la lengua española, preferiblemente con el Diploma de Español como Lengua Extranjera –DELE– del Instituto Cervantes, de Nivel Intermedio o Básico.

g Para los españoles será necesario acreditar el conocimiento de la lengua extranjera correspondiente para la realización de los estudios proyectados.

3 Suponiendo que cumples todos los requisitos y que ya tienes preparada una solicitud para la beca que has elegido, escribe y adjunta un CV de un máximo de dos páginas. A continuación te damos algunos de los datos que puedes destacar.

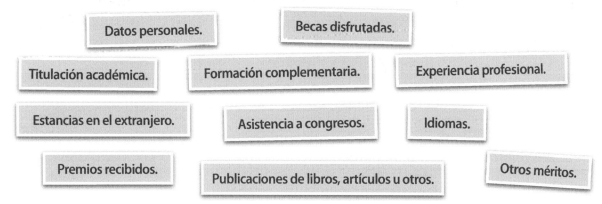

Datos personales.
Becas disfrutadas.
Titulación académica.
Formación complementaria.
Experiencia profesional.
Estancias en el extranjero.
Asistencia a congresos.
Idiomas.
Premios recibidos.
Publicaciones de libros, artículos u otros.
Otros méritos.

La publicidad o el poder de la convicción

1. Contenidos gramaticales

1 Completa los siguientes anuncios con una oración impersonal o una oración de pasiva refleja y di de cuál se trata.

	Impersonal	Pasiva refleja
1 [En el portal de un edificio] (Alquilar) _Se alquila_ una plaza de aparcamiento en este edificio. 657 889 760		
2 [En la barra de un bar] Hoy no (fiar) _____, mañana sí.		
3 [En el escaparate de una floristería] (Hacer) _____ ramos de novia.		
4 [En un tablón de anuncios de la Universidad] (Buscar) _____ compañero para compartir piso. 696 554 388		
5 [En un taller de coches] (Reparar) _____ bicicletas.		
6 [En la ventana de un piso] (Vender) _____. 954 365 989		
7 [En una tienda] No (admitir) _____ devoluciones.		
8 [En la pared de la calle] (Hacer) _____ trabajos de albañilería. 665 783 223		
9 [En el periódico] (Ofrecer) _____ señora con experiencia para cuidar ancianos. 678 561 125		
10 [En el escaparate de una tienda] (Traspasar) _____. Interesados: 655 695 645		

Para aclarar las cosas
Fiar: permitir el consumo de algo aplazando su pago.

2 **Elige el verbo más adecuado para expresar la involuntariedad.**

olvidar • ~~romper~~ • quemar • perder • bloquear • caer • abrir • secar

1 Estaba fregando los platos y ____*se me ha roto*____ un vaso.

2 Hugo estaba usando tu ordenador y _____.

3 No encuentro mi cartera. Espero que no _____.

4 Me dijo su nombre pero _____.

5 _____ las gafas al suelo y he tenido que comprarme otras.

6 Estos niños tienen tanto sueño que _____ la boca.

7 Adrián tenía la carne en el horno y _____.

8 Nos fuimos de viaje una semana y (a nosotros) _____ las plantas de la terraza.

3 **Reflexiona y contesta.**

A

● *No me gusta ver películas en la tele. Creo que ponen muchísimos anuncios.*

▼ *Sí, **yo** creo que se pasan con los anuncios y no hay quien vea la peli tranquilamente.*

1 ¿Crees que es necesario el uso de *yo* en el segundo ejemplo? ¿Por qué?

_____

2 ¿Por qué no se usa *yo* en el primer ejemplo con el verbo creer?

_____

B

• *Granada **fue conquistada** por los Reyes Católicos en 1492.*

• *Cuando entramos en casa, la cocina **estaba inundada**.*

1 ¿Son iguales las estructuras pasivas de ambos ejemplos? Justifica tu respuesta.

_____

2 ¿Cuál de estos dos ejemplos te parece más propio del lenguaje oral? ¿Por qué?

_____

3 Transforma el primer ejemplo en una oración activa.

_____

C

● *Estoy segura de que no ha querido venir.*

a ▼ *Para nada. Estás equivocada.*

b ▼ *Bueno, no sé qué decirte, a lo mejor no lo sabía.*

1 ¿Qué respuesta te parece más amable la **a** o la **b**? ¿Por qué?

_____

2 Ahora, contradice amablemente este comentario:

● *Este tío es muy serio. Parece que siempre está enfadado.*

▼ _____

Para aclarar las cosas
Pasarse: excederse de los límites.

1 Completa el texto sobre *La importancia de un buen eslogan* con las palabras que tienes en el cuadro.

> anuncio • fácil de recordar • eslogan • juegos de palabras
> campaña publicitaria • lema publicitario • producto • consumidores

La importancia de un buen eslogan

Un eslogan es un (1) _____ que se puede usar en un (2) _____ para resumir y representar una idea con el objetivo de llamar la atención sobre un (3) _____ o servicio. Tiene que ser fácil de recordar y muy persuasivo para captar nuevos clientes. Por eso, la elección de un buen (4) _____ puede ser de gran importancia para el éxito de una (5) _____, ya que una frase bien construida sensibilizará a potenciales clientes. Los creadores de estos lemas suelen utilizar la nemotecnia para tratar de crear asociaciones mentales y facilitar el recuerdo a través de (6) _____, rimas, imágenes, etc. Para que un eslogan tenga éxito debe ser breve, ya que si es muy largo, no será (7) _____. También debe estar compuesto por una frase impactante que muestre el beneficio para los (8) _____.

Aquí tenéis algunos eslóganes muy famosos: *Porque tú lo vales, ¿Te gusta conducir?, No tiene precio.* Y otros más antiguos pero también muy conocidos: *Del Caserío me fío, El algodón no engaña, Hoy me siento Flex.*

(Texto adaptado de: *http://www.manuelsilva.es/marketing-2/la-importancia-de-un-buen-eslogan/*)

2 Relaciona estos eslóganes con el producto que anuncia.

1 Porque tú lo vales.	a Colchón Flex.
2 ¿Te gusta conducir?	b Coche BMW.
3 No tiene precio.	c Tarjeta de crédito MasterCard.
4 Del Caserío me fío.	d Producto de limpieza Tenn.
5 El algodón no engaña.	e Quesitos el Caserío.
6 Hoy me siento Flex.	f Produtos de cosmética L'Oreal.

3 Ahora intenta recordar algún eslogan famoso de tu país. Escríbelo en la pizarra y luego tradúcelo y explica a tus compañeros su significado.

_____

_____

_____

4 Lee este diálogo entre dos amigos y elige la expresión correcta.

Carlos: ¿Qué tal, Ángel? ¿Cómo llevas el examen de Comunicación publicitaria? ¿Te lo has preparado ya?

Ángel: Más o menos. Es que he tenido que repetir uno de los trabajos y eso me ha quitado bastante tiempo.

Carlos: Jo, (1) *¡qué faena!/¡qué mala cabeza!*

Ángel: Pues sí. Oye, ¿y tú, qué tal llevas el tema del análisis de campañas publicitarias? Porque a mí (2) *me mete la nariz/me trae de cabeza*, es larguísimo y muy denso.

Carlos: Sí, yo también lo llevo regular. Por cierto, me han pasado algunas preguntas del examen del año pasado y aunque he intentado prepararlas, me parece que algunas (3) *no tienen ni pies ni cabeza/van con pies de plomo*.

Ángel: No creo que repita las preguntas del año pasado. Yo no me las pienso preparar.

Carlos: No, pero puede que sean parecidas. ¿Te has estudiado ya las características generales de la publicidad en los medios convencionales de comunicación?

Ángel: Sí, ya me lo he preparado. Con ese tema no tengo ningún problema.

Carlos: Pues a mí es el que más me cuesta.

Ángel: Si te hace falta (4) *te echo una mano/aprende a base de golpes* y te explico lo que no entiendas. ¿Quieres?

Carlos: Pues, sería estupendo que me ayudaras...

Ángel: Bueno, vamos a dejar de hablar de exámenes y hablemos de asuntos más interesantes. Cuéntame qué tal te fue con la chica del otro día...

Carlos: Nada. Bien.

Ángel: Venga, (5) *no seas gallina/no te cortes conmigo*. Te gusta, ¿verdad?

Carlos: La verdad es que sí. No voy a negártelo.

Ángel: Ya, ya veo, si (6) *se te cae la baba/se te cierran los ojos* cuando hablas de ella.

3. De todo un poco

1 Interactúa.

Prepara algunas ideas sobre el siguiente tema y coméntalas en clase. Si quieres poner ejemplos, puedes buscar anuncios de tu país y llevarlos a clase.

Los famosos en la publicidad.

Los anunciantes recurren en muchas ocasiones a famosos o a estrellas de cine con la intención de captar el interés de los consumidores y crear una actitud positiva hacia el producto.

¿Qué productos recuerdas que publiciten famosos?

Si quisieras promocionar un producto, ¿pagarías a un famoso una gran cantidad de dinero por anunciarlo?

¿Te produce más confianza cuando aparece un famoso en un anuncio?

¿Compras con más seguridad un producto cuando lo anuncia un famoso?

¿Te parece bien que los famosos vendan su imagen por dinero?

©*Silvia Martín Gutiérrez*

2 Escucha.
El consumismo. ⁶

1 Hoy en Onda Meridional se están realizando encuestas para comprobar si realmente nos consume el consumismo. Antes de escuchar una de las encuestas sobre el consumismo, contesta a esta pregunta: *¿Qué prefieres: ser consumidor/a o consumista?* Justifica tu respuesta.

2 Haced una lluvia de ideas de palabras que conocéis relacionadas con el consumismo.

Consumidor/a, consumista, tarjeta de crédito,...

3 Escucha la audición y elige la opción correcta.

La señora encuestada afirma que...

1   **a** Hacer compras sin pensarlo antes es una práctica muy extendida.
    b La gente mayor no hace compras por impulso.
    c Ella compra porque todo el mundo lo hace.

2   **a** Únicamente compra lo que realmente necesita.
    b A veces gasta el dinero sin darse cuenta.
    c Siempre controla lo que compra, aunque no siempre es una compra imprescindible.

3   **a** Cuando está muy contenta, va a las rebajas.
    b Cuando no tiene nada que hacer, a veces sale a mirar cosas.
    c Cuando tiene invitados en casa, aprovecha para hacer la compra.

4   **a** Cuando algo le gusta, se lo compra.
    b Aunque algo le guste, no se lo compra y se olvida de ello rápidamente.
    c Cuando algo le gusta mucho, no se olvida fácilmente de ello.

5   **a** Compra cosas y luego piensa que no debería haberlo hecho.
    b A menudo decide no comprar nada porque su marido le dice que tiene muchas cosas.
    c Le encanta comprar pendientes, pero no lo hace porque tiene muchos.

6   **a** Tiene ropa que nunca se ha puesto pero que le gusta tener por si se presenta alguna ocasión especial.
    b Es una pena tener ropa en el armario sin estrenar.
    c Le da pena tener ropa que no se pone y se la da a gente sin medios económicos.

---

4 Aquí tenéis una encuesta sobre el consumismo. En parejas, comprobad si sois o no muy consumistas. Justifica tu respuesta.

	Sí	No	A veces
1 ¿Sueles hacer compras por impulso?	❏	❏	❏
2 ¿Te gastas el dinero sin darte cuenta?	❏	❏	❏
3 Cuando te sientes triste o deprimido, ¿sueles comprar para animarte?	❏	❏	❏
4 Cuando ves algo que te gusta, ¿no te lo quitas de la cabeza hasta que te lo compras?	❏	❏	❏
5 ¿Compras cosas inútiles que después te arrepientes de haber comprado?	❏	❏	❏
6 Cuando recibes el extracto de las tarjetas, ¿te sorprendes a menudo de ver las compras que has hecho?	❏	❏	❏
7 ¿Frecuentemente compras cosas sin haberlo pensado antes?	❏	❏	❏
8 ¿Compras ropa que no usas?	❏	❏	❏

3 **Lee.**

A **La realidad aumentada.**

1 **Antes de leer el texto en grupos contestad a estas preguntas para ver qué sabéis sobre la realidad aumentada. ¿Qué es la realidad aumentada? ¿En qué se diferencia de la realidad virtual?**

2 **Lee el texto y decide qué campaña te parece más sorprendente y por qué.**

Tres increíbles campañas publicitarias de realidad aumentada.

La realidad aumentada es un ingrediente tecnológico que está haciendo mucho más rica la publicidad. La realidad aumentada permite añadir información virtual a la información física ya existente. El espectador puede ver sobre una pantalla la combinación de imágenes virtuales con imágenes reales haciendo la publicidad más atractiva y participativa. Su sabor interactivo y sorprendente la convierte en una delicia para el consumidor. Un ejemplo de ello son las siguientes campañas:

1 BMW Z4

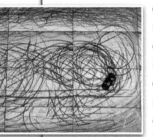

La compañía alemana de automoción lanzó en abril de 2009 su nuevo modelo Z4 con una innovadora campaña de realidad aumentada que incorporaba la tecnología MagicSymbol.Usando una webcam y un código impreso, los usuarios podían conducir de manera virtual el BMW Z4 a la vez que dibujaban obras de arte sobre la pantalla del ordenador.

2 Stella Artois

En diciembre de 2009, la marca belga de cervezas Stella Artois lanzó una aplicación móvil que combinaba la tecnología GPS con direcciones de bares y una buena dosis de interacción con el usuario. Con esta aplicación, el usuario podía saber si el bar al que se dirigía servía cervezas Stella Artois u obtener ayudas para llegar hasta los establecimientos que sí comercializaban esta marca.

3 Airwalk & Goldrum

En noviembre de 2010, la marca de zapatillas Airwalk lanzó una aplicación de realidad aumentada que permitía al usuario ver zapatillas gigantes sobre las calles de Nueva York o las playas de California y al mismo tiempo comprarlas desde su teléfono móvil.

4 Visit Clearwater / St. Petersburg

En marzo de 2011, la oficina de turismo de Clearwater / St. Petersburg (Florida) lanzó una campaña de realidad aumentada pionera en el sector turístico para dar a conocer de manera virtual sus atractivos turísticos a sus potenciales visitantes.

5 Axe

En marzo de 2011 Axe lanzó una sorprendente campaña de realidad aumentada en una estación de ferrocarril de Londres. En la estación había carteles en los que se pedía a los viajeros que miraran a una pantalla gigante. Al hacerlo, los viajeros podían verse a sí mismos junto a uno de los ángeles que protagoniza la última campaña de la marca.

(Texto adaptado de: *www.marketingdirecto.com*)

3 Di si son verdaderas (V) o falsas (F) estas afirmaciones.

	V	F
1 La realidad aumentada permite ver imágenes generadas por ordenador directamente en la realidad.		
2 La realidad aumentada permite ver imágenes generadas por ordenador sobre imágenes reales en una pantalla.		
3 La realidad aumentada permite a la publicidad interactuar con el posible cliente.		
4 En un anuncio de cervezas, la información proporcionada por la realidad aumentada guiaba al usuario hasta los bares recomendados.		
5 En un anuncio de coches, los usuarios conducían un BMW por Alemania mientras dibujaban obras de arte virtuales.		
6 Una oficina de turismo usó la realidad aumentada para crear rutas en bicicleta por la ciudad.		
7 Una marca de desodorante usó la realidad aumentada para mostrar ángeles volando sobre una estación de ferrocarril.		
8 Una marca de zapatillas usaba la realidad aumentada para llamar la atención y vender on-line las zapatillas anunciadas.		

B Campañas contra la drogadicción del Plan Nacional sobre drogas del Ministerio del Interior de España.

1 Lee las campañas y piensa sinónimos o posibles explicaciones de las palabras marcadas.

Campaña n.° 1

Abre los ojos.
Las drogas **pasan factura**. _____

Campaña n.° 2

¿A que sabes **divertirte** Sin Drogas? _____
Elige lo que te va.
Tienes muy claro lo que te gusta.

Y lo que **te conviene** en cada momento. _____
Para sentirte bien no necesitas nada más.
EVITA LAS DROGAS.

Campaña n.° 3

¿lo harías?
ENTÉRATE _____
drogas: más información.
menos **riesgos** _____

Campaña n.° 4

Tener un hijo cambia la vida...
Perderlo aún más.
Evita las drogas.
Dialoga con él. _____

**2 En parejas, elegid cuál es la campaña que más os gusta y exponed
los motivos al resto de la clase. Defended vuestra elección.**

4 Escribe.
   **Ahora te damos dos imágenes sobre dos campañas distintas. Hemos borrado
   la parte escrita, así que inspírate y escríbela. Podéis votar la mejor de la clase.
   Después comparadlas con la original y comprobar cuál se parece más.**

Campaña contra el plagio

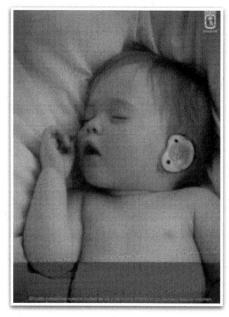

Campaña madrileña contra la contaminación acústica

_____   _____
_____   _____
_____   _____

Vivir en español

1. Contenidos gramaticales

1 Una chica nos cuenta su experiencia con una familia de Puebla (México). Completa con los relativos y escribe todas las opciones posibles en cada espacio.

Mi familia mexicana

Cuando estudiaba en Puebla, viví con una familia mexicana (1) _que_ me recomendaron a través del instituto de español. Recuerdo que todas las mañanas era la mamá (2) _____ nos preparaba algo y desayunábamos juntos.

A veces, en las tardes, me sentaba con las chavas con (3) _____ vivía para hacer nuestras tareas. Ellas me ayudaban con mi tarea de español y yo las ayudaba con su tarea de inglés.

El día (4) _____ más me gustaba de la semana era el domingo. Ese día íbamos a varias iglesias y regresábamos para comer juntos. El almuerzo de los domingos era un momento muy familiar en (5) _____ todos se reunían para compartir una comida buenísima. ¡Me encantaban los elotes con mahonesa, limón y chile!

Al principio, me costaba trabajo entender (6) _____ decían, porque todos platicaban bien rápido –o a mí me lo parecía– y había tres o más conversaciones al mismo tiempo. Después de unos meses empecé a entender y era más divertido porque podía participar. Esta experiencia se la recomiendo a todos mis amigos de Texas, pues considero que vivir con una familia de México es una gran oportunidad para la gente (7) _____ quiere aprender español. En el instituto de español siempre decían: «(8) _____ lo prueba, repite».

Ya ha pasado un año desde que volví de México, pero todavía mantengo contacto con la familia con (9) _____ viví. Ellos son la razón principal por (10) _____ siempre quiero regresar a México.

(Texto adaptado de: *http://drawinglove381.blogspot.com*)

> Si tienes problemas con alguna de las palabras del texto, haz la actividad 1 de Contenidos léxicos y seguro que lo entiendes todo.

2 Unos alumnos de C2 (nivel perfeccionamiento) están a punto de terminar su curso de español en Granada, así que han creado un blog explicando las cosas que más les han gustado de su estancia en España. Completa los espacios con la forma verbal adecuada.

INICIO | SOBRE NOSOTROS | SUSCRIBE: POST | COMENTARIOS

A mí una de las cosas que más me (1) (gustar) _____ de Granada es el buen tiempo que hace casi todos los días. Me encanta (2) (disfrutar) _____ de una cerveza y unas aceitunas sentado en una terracita. Como (3) (hacer) _____ sol y (4) (anochecer) _____ tarde siempre hay mucho ambiente por las calles. Creo que (5) (echar de menos) _____ el sol español.

Voy a extrañar mucho a mis amigos. Me alegro de (6) (haber) _____ tenido la oportunidad de convivir con españoles porque (7) (aprender) _____ mucho de ellos. Y lo más importante es que me gusta cómo (8) (ser) _____ y su forma de divertirse. Por ejemplo, me encanta que (9) (organizar) _____ paellas los fines de semana. Me parece que (10) (ser) _____ muy divertido. Se reúnen muchos amigos, compran los ingredientes para hacer la paella, y se van al campo.

Pues yo le agradezco mucho a mi profesor que (11) (hablar) _____ en clase sobre la copla. No tenía ni idea de lo que (12) (ser) _____, pero cuando escuché *Ojos verdes* y La *Zarzamora* me di cuenta de que me (13) (encantar) _____ este tipo de música. Así que (14) (comprar) _____ unos cedés de copla para llevármelos a mi país.

A mí me han fascinado los paisajes y las vistas tan espectaculares y distintas que (15) (haber) _____ en España. Ya que (16) (poder) _____ estar esquiando en las montañas de Sierra Nevada y a pocas horas de allí estar disfrutando de unas playas maravillosas. Además, me parece increíble (17) (ver) _____ los campos llenos de olivos y entender por qué en España (18) (tomarse) _____ pan con aceite para desayunar.

¿Sabes lo que es la copla? Escribe en tu buscador de vídeos: Ojos verdes copla o La Zarzamora. Escúchalas y di si te gusta este tipo de canción y por qué.

3 Completa los diálogos con el relativo adecuado y explica qué significan los refranes. El contexto puede ayudarte mucho.

que (x 2) • el que (x 4) • lo que (x 3)

1 ● Pero, Luis, ¿no me habías dicho que se llamaba Guillermo? ¡Se llama Joaquín! Es que nunca me puedo fiar de ti.
▼ ¡Ay, perdona! Pero _____ tiene boca se equivoca.

2 ● Javier se ha ido al extranjero y Marta sospecha que está con otra chica...
▼ Pobre, Marta. Pero al menos no sufre. Ojos _____ no ven, corazón _____ no siente.

3 ● ¡Hemos ganado! ¡Hemos ganado!

▼ Sí, ¿y qué? _____ ríe el último, ríe mejor.

4 ● Mamá, me voy a dar una vuelta, ¿vale?

▼ ¿Y los deberes?

● Tengo todo el fin de semana para hacerlos.

▼ Ya sabes lo que dice la abuela: No dejes para mañana _____ puedas hacer hoy.

5 ● Siempre quiso vivir en Estados Unidos, y al final consiguió una beca para una universidad americana.

▼ _____ la sigue la consigue.

6 ● ¡Qué bien! ¡Este asiento es mucho más cómodo!

▼ Oye, que ese era mi sitio...

● _____ fue a Sevilla perdió su silla.

7 ● ¿Sabes que Amelia y Ramón se han separado?

▼ Bueno no me extraña, nunca se han llevado bien. _____ mal empieza, mal acaba.

8 ● He visto un anuncio de empleo en el que ofrecen buen salario y pocas horas de trabajo.

▼ Cuidado con ese tipo de anuncios, que no es oro todo _____ reluce.

4 Reflexiona y contesta.

A 1 Ya has estudiado las fórmulas para dejar que el interlocutor decida. ¿En cuál de los siguientes casos no se deja la decisión al interlocutor? Justifica tu respuesta.

a ● *Cariño, voy a decirle a mis abuelos que vengan el domingo a comer, ¿te parece bien?*

▼ *Sí, es una buena idea. Hace mucho que no los vemos.*

b ● *Mamá, voy a salir un rato, ¿vale? Cuando vuelva, hago la cama.*

▼ *Mira, haz lo que tú quieras. Yo estoy harta de decirte siempre lo que tienes que hacer.*

c ● *Oye, tío, que hoy no he podido ir al curro porque me he despertado muy malito.*

▼ *Sí, sí, claro. Lo que tú digas. No te lo crees ni tú.*

2 En el diálogo b *Mira, haz lo que tú quieras. Yo estoy harta de decirte siempre lo que tienes que hacer*, ¿qué sentimiento crees que se expresa?

a Respeto
b Resignación
c Miedo

3 Contéstale a un amigo que está comiendo demasiado, pero déjale que él tome la decisión final de lo que debe hacer, aunque le muestres tu desacuerdo.

● *Bueno, no estoy comiendo tanto, ¿no?*

▼ _____

B Relaciona cada diálogo con una de estas intenciones comunicativas:

1 ● *Como sigas a ese ritmo, no te va a quedar tiempo para preparar la tarta.*

▼ *¡Si ya la he preparado! Está en la nevera.*

2 ● *Te han dado el premio fin de carrera... ¡Jo!, eres increíble.*

▼ *Tú sí que eres increíble. ¿Cuántos premios te han dado ya? ¿Dos o tres?*

3 ● *¿A que vais a venir a verme cuando me operen?*

▼ *Claro que sí, eso ni se pregunta.*

Pedir el acuerdo	
Argumentar en contra de lo dicho	
Enfatizar y mostrar modestia	

C 1 Lee el diálogo entre dos amigos que se han encontrado y señala qué funciones comunicativas hay en el encuentro.

> Sorprenderse • Identificarse • Expresar casualidad • Preguntar por la vida de cada uno
> Hablar del aspecto físico • Invitar a tomar algo • Hablar de personas conocidas

● ¡Roberto, cuánto tiempo! ¡Qué casualidad!

▼ ¡Hombre, Mario! ¿Cómo te va todo?

● Bien, bien. ¿Y vosotros cómo estáis?

▼ Muy bien, pero con ganas de que quedemos. Tenéis que venir un día a casa.

● Por cierto, te encontraste a Gloria el otro día, ¿no?

▼ Sí, sí. Me contó que os vais en mayo y que todo ha salido **como** lo teníais previsto. Oye, Roberto, me vas a tener que perdonar, pero llevo un poco de prisa.

● Bueno, no te preocupes. Os llamo para quedar, ¿vale?

▼ Mejor te llamo yo a ti y así os venís a casa.

● Venga, **como** tú veas.

▼ Oye, me voy corriendo.

● Sí, sí. Hasta luego.

▼ Adiós.

2 • *Me contó que os vais en mayo y que todo ha salido **como** lo teníais previsto.*
  • *Venga, **como** tú veas. Hasta luego.*

¿Por qué en el primer caso se usa *como* + indicativo y en el segundo *como* + subjuntivo?

2. Contenidos léxicos

1 A Aquí tienes algunas palabras que se usan en México, busca en el cuadro su equivalente más frecuente en España.

> niñas • las mazorcas de maíz • muy • por las tardes • madre • hablaban • deberes

1 Recuerdo que todas las mañanas la **mamá** (1) nos preparaba algo y desayunábamos juntos.

2 A veces, **en las tardes** (2), me sentaba con las **chavas** (3) para hacer nuestras **tareas** (4).

3 ¡Me encantaban **los elotes** (5) con mahonesa, limón y chile!

4 Al principio, me costaba trabajo entenderlos porque todos **platicaban** (6) **bien** (7) rápido.

1 _____
2 _____
3 _____
4 _____
5 _____
6 _____
7 _____

B Seguro que conocéis muchas otras palabras de México y de más países hispanohablantes. En grupos haced listas de palabras por países. Gana el equipo que más palabras sepa de cada país

2 En el pretexto de la unidad 6 del Libro del alumno has aprendido algunas expresiones de la jerga juvenil. Vas a leer dos diálogos en cada caso y tendrás que elegir la expresión más apropiada según la situación. Luego explica qué es lo que te ha ayudado a hacer la elección en cada caso.

1   ando pillado de tiempo • estoy muy ocupado

Diálogo 1
- ● ¿Qué pasa, tío? ¿Ya no conoces a nadie?
- ▼ ¿Qué pasa? Oye, tío, después hablamos que _____.

Diálogo 2
- ● ¿Qué tal Miguel? buenos días.
- ▼ Buenos días, Natalia. Aquí trabajando, que _____.

2   curro • trabajo

Diálogo 1
- ● ¿Qué te pasa cariño? ¿Por qué traes esa cara?
- ▼ Mira, estoy harta, pero harta de tantas tonterías. Cualquier día dejo el _____.

Diálogo 2
- ● ¿Qué? ¿Cómo te va en tu nuevo _____?
- ▼ Pues fatal, colega. Ya me han echado.

3   Pillamos un taxi • Cogemos un taxi

Diálogo 1
- ● ¡Mira la hora que es! ¡Qué fuerte! Que no llegamos al concierto. ¿_____?
- ▼ Venga.

Diálogo 2
- ● Oye, Javier, vamos un poco tarde, ¿no? ¿_____?
- ▼ Sí. Mejor será.

4   pires • vayas

Diálogo 1
- ● Yago, la profe quiere hablar contigo así que no te _____ después de clase.
- ▼ Yo, paso.

Diálogo 2
- ● Marta, no te _____ que hay que ayudar a poner la mesa.
- ▼ Vale, papá.

5   Te hace • Te apetece

Diálogo 1
- ● Me han recomendado este restaurante de carne argentina. ¿_____?
- ▼ Sí, mucho. Tenía ganas de comer carne.

Diálogo 2
- ● Me han dicho que aquí ponen unos perritos superbuenos. ¿_____?
- ▼ Venga, vamos a probarlos.

3. De todo un poco

1 Interactúa.

En parejas, elegid la opción que más os interese de acuerdo con vuestra situación actual.

A Si vivís en España.

¿Y tu experiencia en España buscando piso cómo fue?

¿Fue difícil encontrarlo? ¿Y decidirte?

¿Crees que vivir con otros estudiantes extranjeros puede ser una buena experiencia?

¿Prefieres tener compañer de piso? ¿Por qué?

¿Tenías todo listo antes de llegar a España? ¿Buscaste piso cuando ya estabas aquí?

¿Cómo lo conseguiste? ¿A través de la prensa, de internet, de personas conocidas?

Si pudieras empezar de nuev ¿qué cambiarías?

B Si no vivís en España.

Si tuvieras la oportunidad de vivir en un país hispanohablante...

> Si decidieras vivir con estudiantes, ¿te importaría que no hablaran español?

> ¿A qué tipo de ciudad o pueblo te irías? ¿Grande o pequeño? ¿Costa o interior?

> ¿Te irías con todo organizado o a la aventura?

> ¿Con quién te gustaría vivir? ¿Con una familia o con otros estudiantes?

> ¿A qué país te gustaría ir? ¿Por qué?

> ¿Cuáles crees que son las ventajas de vivir con gente de muchos países distintos?

2 Habla.

Elige el tema que más te interese y prepáratelo bien. Tienes entre 10 y 15 minutos para exponerlo en clase.

A Otro de los aspectos al que hay que acostumbrarse cuando vives en España es al hecho de ver las películas dobladas. ¿Cuál es tu opinión acerca del doblaje de películas?

Mi opinión general sobre el doblaje de películas
Ventajas del doblaje / Inconvenientes de los subtítulos
Inconvenientes del doblaje

B Ya hemos hablado de lo que echas de menos de tu país. Pero, ¿qué cosas crees que vas a echar de menos de España cuando vuelvas a tu país? Justifica todas tus ideas.

3 Escucha.

A Una casa de locos.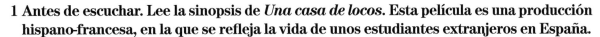

1 Antes de escuchar. Lee la sinopsis de *Una casa de locos*. Esta película es una producción hispano-francesa, en la que se refleja la vida de unos estudiantes extranjeros en España.

Una casa de locos es una película del director francés Cédric Klapisch estrenada en España en 2002. El título original de la película es *L'auberge espagnole* y refleja la vida de varios estudiantes Erasmus en España. El protagonista es un chico francés que decide viajar a Barcelona para aprender español. Xavier tiene que compartir piso con otros seis estudiantes: un italiano, una inglesa, un danés, una belga, un alemán y una española. Todos ellos tendrán que aprender a convivir, a entenderse y a compartir su espacio. La película refleja muy bien la vida de los estudiantes y todos los detalles de lo que significa viajar a un país extranjero, acomodarse a una cultura, una lengua, una gente y unas costumbres diferentes. En definitiva, se ofrece una visión bastante sincera y optimista sobre una experiencia con la que la mayoría de jóvenes se sentirán perfectamente identificados, ya sea en primera persona o muy de cerca.

2 Escucha las opiniones que han dado algunos jóvenes sobre la película y di si les gustó la peli.

👍👍 = Todo bien.   👍👎 = Algo bien y algo mal.   👎👎 = Todo mal.

Primera opinión.	**a** 👍👍	**b** 👍👎	**c** 👎👎
Segunda opinión.	**a** 👍👍	**b** 👍👎	**c** 👎👎
Tercera opinión.	**a** 👍👍	**b** 👍👎	**c** 👎👎
Cuarta opinión.	**a** 👍👍	**b** 👍👎	**c** 👎👎
Quinta opinión.	**a** 👍👍	**b** 👍👎	**c** 👎👎
Sexta opinión.	**a** 👍👍	**b** 👍👎	**c** 👎👎
Séptima opinión.	**a** 👍👍	**b** 👍👎	**c** 👎👎

3 ¿Qué significan estas expresiones? Piensa en otras que signifiquen lo mismo o explica su significado.

1 Salir de juerga: _____

2 Ser entretenida: _____

3 Buscarse la vida: _____

4 Parecer algo un poco rollo: _____

5 Entrarle a alguien sueño: _____

6 Ser genial: _____

4 Vuelve a escuchar la audición y di si las siguientes afirmaciones son verdaderas (V) o falsas (F).

	V	F
1 Todos coinciden en que la película es un buen reflejo de la vida juvenil.		
2 Al menos dos personas coinciden en que sería mejor ver la película en versión original.		
3 Una de las personas afirma que la película le hizo reír, y otra que le aburrió.		
4 En una de las opiniones se critica que en la película se identifique bastante la experiencia Erasmus con la vida nocturna.		
5 Una persona critica el vestuario de los actores y su mala interpretación.		

B Estudiar español en Colombia.

1 El número de estudiantes que quiere aprender español y vivir en Colombia ha aumentado **considerablemente. ¿Quieres saber por qué? Escucha este reportaje sobre Colombia y contesta a estas preguntas.**

1 ¿Por qué es un destino atrayente para los estudiantes extranjeros?

_____

2 ¿Qué número de estudiantes de español se estima que hay en Colombia?

_____

3 ¿Qué actividades pueden realizar los estudiantes?

_____

4 ¿Qué fiestas o aspectos culturales de Colombia se mencionan?

_____

5 ¿Qué ha cambiado de Colombia en los últimos años? ¿Qué ha hecho que
aumente el número de estudiantes?

_____

**2 Infórmate en internet sobre una fiesta de algún país de Hispanoamérica. Cada uno/a
de vosotros/as tiene que elegir una fiesta porque luego le vais a explicar al resto de la
clase dónde se celebra la fiesta, cuándo y qué se hace. Aquí tenéis algunas ideas.**

Carnaval de Barranquilla, Colombia
Desfile de silleteros, Colombia
Fiesta de la Candelaria, Perú
Fiesta de San Juan, Paraguay
Fiesta de Santiago Apóstol, Puerto Rico
Fiestas agostinas, El Salvador
El día de la madre, Panamá

Fiestas agostinas, El Salvador

Desfile de silleteros, Colombia

4 Lee.

**1 Vivir en español también supone echar de menos las cosas que has dejado en tu país
de origen. Aunque al principio todo es novedoso y emocionante, después de un tiempo
empezamos a extrañar algunas cosas.
Algunos jóvenes que viven en España nos cuentan lo que ellos más echan de menos.**

Antes de leer. ¿Qué significan estas expresiones?

1 Reírse hasta reventar.
   a Reírse por compromiso.   **b** Reírse mucho.   **c** Reírse de otros.

2 Hacer falta algo.
   a Necesitar.   **b** Faltar a un lugar.   **c** Sentir nostalgia.

3 Venirse a la mente.
   a Acordarse de algo.   **b** Darse cuenta de algo.   **c** Contar un secreto.

2 Lee y resume en pocas palabras lo que han dicho estas personas.

Luz Marina (26) nació en Colombia y actualmente regenta una peluquería en Madrid. En su tiempo libre estudia inglés y alemán.

«Durante los días previos a la Navidad, yo no puedo evitar pensar a menudo en una fiesta religiosa que en Colombia se celebra entre el 16 y el 24 de diciembre y que llamamos la Novena Navideña. Nos reunimos todos los días con la familia y amigos para evocar juntos el nacimiento de Jesús. Cada tarde terminamos con una cena y muchos postres deliciosos. Además, extraño las frutas colombianas. Mi fruta favorita es la granadilla. ¡En Colombia la puedes encontrar en cada esquina! Y por último me hacen falta, por supuesto, las fiestas colombianas y la forma de celebrar en Colombia. Bailamos hasta el amanecer, nos reímos hasta reventar y acompañamos a coro y de memoria todas las canciones».

Hiroto (24) es de Japón. Ha estudiado *Control theory*, una combinación de ingeniería mecánica y electrotécnica. Desde hace medio año vive en España.

«Una cosa que echo de menos en España es el tatami, una especie de alfombra de hierba artificial. En casa de mi familia en Tokio hemos tapizado el suelo de algunas habitaciones con tatami. Es muy agradable andar sobre él —los zapatos, por supuesto, hay que quitárselos antes—, pues este recubrimiento del suelo es mucho más suave que el de madera o mármol que se suele encontrar en las casas españolas. Por cierto, en las habitaciones que tienen tatami las sillas resultan innecesarias, ya que uno se puede sentar cómodamente sobre el suelo. Lástima que en los últimos años el tatami haya pasado algo de moda incluso en Japón».

Agnes (36) Se mudó hace cinco años a España y trabaja desde entonces como maestra de alemán como lengua extranjera.

«Lo primero que se me viene a la mente es la col verde. En el norte de Alemania, que solemos acompañarla de *pinkel*, una salchicha muy condimentada. Y, también extraño el pan alemán. El pan español simplemente no sabe igual y en un día se pone duro como una piedra. Y es que nada supera una rebanada de pan integral con mantequilla y queso. ¡Ah! y otra cosa que extraño muchísimo es cuando, en el frío invierno, uno se cita en el mercado navideño y se calienta con vino caliente de especias; el aroma de almendras tostadas inunda el ambiente y nos reunimos en casa para hornear galletas de Navidad».

Nesrin (22) es de Ankara y vive en España desde hace tres años. En la actualidad cursa un Máster en Dirección de *marketing* y gestión comercial en Madrid.

«Lo que más echo de menos en España es el café turco. No solo por su sabor, sino también por nuestra tradición de leer el poso del café. Te tomas un café y luego una adivina te lee el futuro a partir de la disposición de las partículas sólidas de café que quedan en el fondo de la taza. Yo suelo hacer eso en compañía de amigas. Siempre es muy divertido y a veces incluso se cumple lo vaticinado. Por ejemplo, a mí me dijeron que viajaría al extranjero y que me gustaría tanto que me quedaría allí, y ¡al menos eso se cumplió!».

(Texto adaptado de: *http://www.goethe.de/*)

Luz Marina extraña _____

porque _____ .

Hiroto echa de menos _____

porque _____ .

Agnes extraña _____

porque _____ .

Nesrin echa de menos _____

porque _____ .

3 En parejas haced una lista de todas las palabras que aparecen relacionadas con la comida.

4 Ahora te toca a ti. Escribe unas líneas sobre ti mismo/a y sobre las cosas que echas de menos de tu país. Luego cuéntaselo al resto de la clase.

_____

_____

_____

5 **Escribe.**

A **Una amiga quiere estudiar en la ciudad en la que tú estás estudiando, por eso te ha escrito un correo para que le cuentes cómo está siendo tu experiencia y que le des detalles sobre aspectos culturales. Escríbele un correo informándole de todo lo que creas bueno destacar relacionado con tus propias vivencias.**

¡No te olvides de nada! La ciudad, el clima, la gente, la comida, el transporte, los museos y monumentos, la vida nocturna, etc.

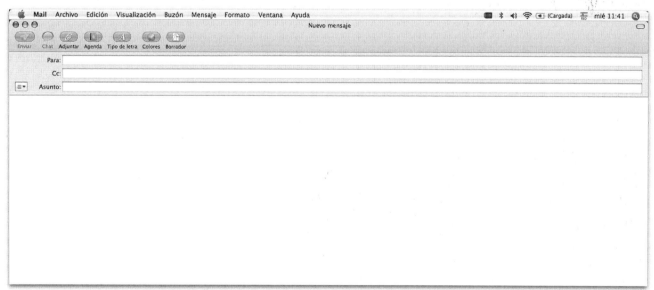

B **Si no vives en España busca toda la información sobre la ciudad donde te gustaría pasar una larga temporada estudiando español. Infórmate de todo usando internet. Luego escribe y ordena toda la información que tengas.**

Relaciones personales.com

1. Contenidos gramaticales

1 Aquí tienes una conversación de *WhatsApp* entre varias amigas. Completa los espacios con el verbo en el tiempo y modo correctos.

---

18 de mayo de 2013 **Asunto:** Merienda por mi santo

Amelia se ha unido.   Carmen se ha unido.   Paula se ha unido.
....

Amelia
¡¡Chicas!! ¿Quedamos este fin de semana para (celebrar) (1) _celebrar_ mi santo?

Carmen
Buena idea, aunque el domingo (tener) (2) _____ comida con la familia. Así que tendría que ser el viernes o el sábado.

Paula
Hola, guapas. A mí me viene mejor el viernes que el sábado. Entonces, ¿cuándo y dónde?

Amelia
¿Os parece bien que (quedar) (3) _____ el viernes a las 17:00 en mi casa?

Carmen
Amelia, ¿pero tú no trabajas el viernes por la tarde?

Amelia
Sí, pero por mucho trabajo que (tener) (4) _____ para esa hora ya habré terminado.

Paula
Ok. Entonces el viernes en tu casa. Oye, ¿avisamos a Laura para que (venir) (5) _____ también?

Amelia
Sí, yo la llamo. Pero seguro que aunque se lo (decir, nosotras) (6) _____, no va a venir. Últimamente no viene nunca.

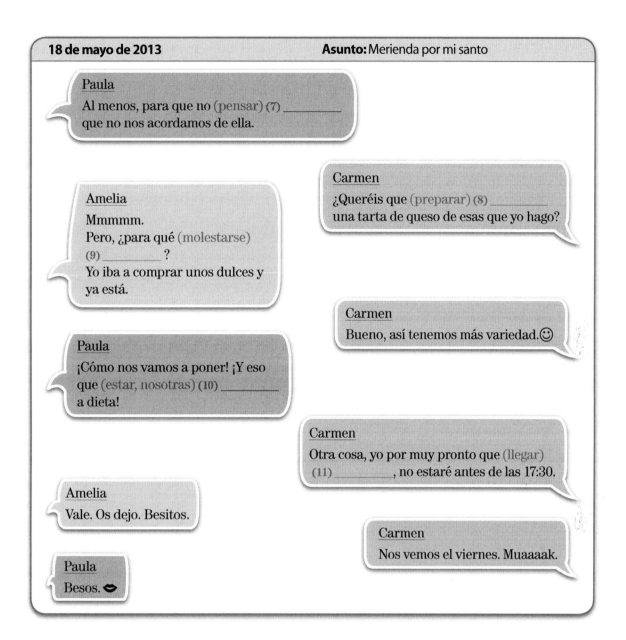

18 de mayo de 2013 **Asunto:** Merienda por mi santo

Paula
Al menos, para que no (pensar) (7) _____ que no nos acordamos de ella.

Amelia
Mmmmm.
Pero, ¿para qué (molestarse) (9) _____ ?
Yo iba a comprar unos dulces y ya está.

Carmen
¿Queréis que (preparar) (8) _____ una tarta de queso de esas que yo hago?

Carmen
Bueno, así tenemos más variedad.☺

Paula
¡Cómo nos vamos a poner! ¡Y eso que (estar, nosotras) (10) _____ a dieta!

Carmen
Otra cosa, yo por muy pronto que (llegar) (11) _____, no estaré antes de las 17:30.

Amelia
Vale. Os dejo. Besitos.

Carmen
Nos vemos el viernes. Muaaaak.

Paula
Besos. 👄

2 **Aquí tienes un foro en el que algunas personas han dado su opinión sobre si las relaciones por internet son o no efectivas. Elige una opción en cada caso.**

INICIO SUSCRIBE: POST COMENTARIOS

Hay gente que te cuenta experiencias maravillosas, pero (1) _____ de todo yo prefiero el cara a cara. Pienso que (2) _____ es más fácil expresarse sin miedo, también es más fácil mentir.

Yo nunca había pensado en la posibilidad de encontrar novia en internet (3) _____ me pasara horas y horas chateando. Hace unos meses empecé a hablar con la chica con la que vivo ahora y nos va muy bien. (4) ¡ _____ yo no creía en esas cosas!

INICIO

SUSCRIBE: POST | COMENTARIOS

Pues es curioso que (5) _____ he mantenido muchas relaciones a lo largo de mi vida al estilo clásico, nunca me han salido bien. Sin embargo, ahora llevo tres años saliendo con un chico que conocí por casualidad en un chat. (6) _____ pienso que (7) _____ pueda parecer esto de internet, a veces sale bien.

Yo creo que, como en todo, puedes tener suerte o no, pero al menos internet sirve (8) _____ la gente cuente sus problemas, se desahogue y comparta sus alegrías. (9) _____ nos guste mucho estar todo el día delante de la pantalla, también hay que hacer vida social y no solo dedicarse exclusivamente al ordenador.

Pues mi experiencia personal no es muy positiva, (10) _____ pienso que no siempre tiene que ocurrir esto. Nos conocimos por internet, mantuvimos la comunicación durante semanas hasta que decidimos quedar (11) _____ vernos. ¡Tenía siete años más de lo que me había dicho! Y no era tan importante la edad, (12) _____ no me hubiera dicho la verdad desde el principio.
Espero que os sirva.

1 a a pesar de	**b** a causa de
2 a por mucho que	**b** aunque
3 a para que	**b** por mucho que
4 a Y eso que	**b** Ya que
5 a aunque	**b** como
6 a Así que	**b** Para que
7 a debido a	**b** por muy frío que
8 a porque	**b** para que
9 a Aunque	**b** Puesto que
10 a con el fin de que	**b** a pesar de que
11 a para	**b** con el objeto de
12 a sino que	**b** y eso que

3 **Reflexiona y contesta.**

A ¿En cuál de estas preguntas se hace referencia a algo conocido por los interlocutores? Justifica tu respuesta.

- *Oye, ¿avisamos a Laura para que venga también?*
- *¿Queréis que prepare una tarta de queso de esas que yo hago?*
- *¿Quedamos este fin de semana para celebrar mi santo?*

_____
_____
_____
_____
_____ .

B Continúa estas frases con la opción correcta.

1 ¿Por qué te quejas tanto de que nadie te envíe
una solicitud de amistad
a con la de amigos que tienes en *Facebook*?
b para que veas la de amigos que tienes?
c con lo guapo que estás?

2 Nunca me contesta cuando le hablo,
a por poco que lea el correo.
b y eso que siempre está conectado.
c aunque se ponga roja.

3 Por muchas personas que hayan encontrado
pareja en internet, a mí no me parece bien
a que trabajes usando Skype.
b eso de hablar con gente desconocida.
c aunque te gusten mucho las redes sociales.

**C Elige respuestas a estas preguntas. Primero usa el recurso de repetir
la pregunta para pensar la respuesta.**

> **a** Pues porque es más cómodo, ya que envío un mensaje a todos sin tener que
> hacerlo uno por uno.
> **b** Para que las vean mis amigos.
> **c** Porque no he tenido ni un minuto libre en todo el día.
> **d** Pues, muy a menudo. Tengo conexión a internet en el móvil con tarifa plana.

	a	b	c	d
1 ¿Por qué no te has conectado a *Facebook*? *¿Que por qué no me he conectado?*	a	b	c✓	d
2 ¿Cómo es que tienes tantos grupos en el *WhatsApp*? ¿Que _____?	a	b	c	d
3 ¿Cuándo consultas el correo? ¿Que _____?	a	b	c	d
4 ¿Por qué te gusta colgar tantas fotos en *Tuenti*? ¿Que _____?	a	b	c	d

2. Contenidos léxicos

1 **A En una página de internet sobre relaciones sentimentales hemos encontrado todas estas secciones. A cada una de la secciones le falta la última palabra. En parejas, pensad
de qué palabra se trata. Podéis hacer tantas hipótesis como queráis. Gana el equipo que
más palabras haya acertado. En algunos casos puede haber más de una posibilidad.**

1 Cómo tener una buena relación _____
2 Sorprender a tu _____
3 Siete consejos para superar una _____
4 De amigos a _____
5 El detalle de regalar _____
6 Guía para superar una ruptura _____
7 Controlar los _____

8 Cómo hacer feliz a tu _____
9 Diez consejos para _____
10 Cómo saber si tu pareja está siendo
_____
11 Cómo recuperar tu _____
12 La importancia de la _____

B Ahora, en parejas elegid dos de las secciones y hablad sobre los consejos que daríais a un/a amigo/a. Luego comentad vuestras ideas con el resto de la clase.

2 **A** Aquí tienes la letra de la canción *Amor por internet* de la joven colombiana Alice. Tienes que colocar las palabras relacionadas con internet en los espacios. Luego, para comprobar que lo has hecho bien, escucha la canción en internet.

Esto es amor por internet
enciendo mi (1) _____
esperando verte otra vez.
Quiero que ya sea la hora...
frente a mí poderte tener
sin ti yo me desespero,
siento que muero
porque tú no estás aquí.
Quiero que naveguemos y bien
la pasemos
y por la (2) _____ poderte
sentir.

Esto es amor por internet,
conéctate *baby*, te quiero ver.

Esto es amor por internet
y frente a mí te quiero tener.

Si te conectas, yo voy *hi*
en la red de tu (3) _____,
en tu mundo llevo al cielo,
porque tú eres lo primero.
Oye, ven y naveguemos
en tu barco, en mi velero
rumbo al (4) _____ donde
encuentro lo que quiero.

Te envío (5) _____ de te amo.
Envíame un (6) _____, no
seas tan malo.

wi-fi
mensajes
red
computadora
mail
ciberespacio

B ¿Qué diferencias observas con respecto al español de España?

3. De todo un poco

1 Interactúa.

1 ¿Te relacionas por internet? En parejas, preguntad a un/a compañero/a.

¿Alguna vez te has suscrito a una página para hacer amigos o encontrar pareja? Explica los motivos.

Cuando algún familiar o un buen amigo está lejos, ¿cuál es el medio que prefieres para comunicarte? ¿El correo, la videoconferencia, el chat, otros?

¿En cuántas redes sociales estás registrado/a? ¿Cuáles son?

¿Cuántos amigos tienes en la red social que más usas?

¿Usas las redes sociales para quedar con tus amigos?

De tu lista de amigos, ¿con cuántos más o menos mantienes contac

¿Te gusta compartir fotos con tus amigos? ¿Por qué?

¿Felicitas a tus amigos por su cumpleaños a través de una red social? ¿Por qué?

¿Sueles organizar eventos a través de tu red social?

¿Chateas con gente con la que no hablarías diariamente?

¿Sueles aceptar a alguien que no conoces, pero que es amigo de un amigo?

En España lo habitual es recibir una invitación de boda mediante correo ordinario. ¿Qué te parece que te inviten a una boda por *email*?

2 Ahora, cuenta al resto de la clase cuál es la respuesta que más te ha sorprendido de todas y explica el porqué.

2 Habla.

¿Has vivido tú o algún amigo tuyo ha vivido una historia de amor por internet? Prepárate bien lo que vas a decir y cuéntaselo a tus compañeros/as de clase. Aquí tienes un ejemplo de Vicente, un chico español que se enamoró de una chica de Puerto Rico a través de un chat.

Muchos de mis amigos piensan que estoy loco. Todo empezó hace seis meses, cuando intentando huir de la rutina del día a día, *entré en un chat* para distraerme un poco y conocí a una chica puertorriqueña. Desde el principio nos caímos bien y por alguna extraña razón me dio su *Messenger*.

Al día siguiente empezamos a hablar por el *Messenger* y después de muchas horas delante de la pantalla nos fuimos conociendo. Poco a poco esto se fue convirtiendo en una obsesión y siempre estaba deseando terminar el trabajo para conectarme y hablar con ella.

La verdad es que, aunque pueda parecer una locura, es una de las mejores cosas que me han sucedido. Creo que desde que la conozco soy mejor persona. Siento que es la mujer de mi vida, por eso ya no puedo esperar más y voy a ir a Puerto Rico a conocerla el próximo mes.

> **Para aclarar las cosas**
> Entrar: *'ir o pasar de fuera adentro'. Es intransitivo y el complemento que expresa el lugar, real o figurado, en el que entra el sujeto puede ir precedido de en (preposición preferida en España) o de a (preposición preferida en América).*

3 Escucha.

1 Vas a escuchar una conversación por *Skype* entre dos amigos, Jaime, que vive en España con su familia y Adrián, que lleva viviendo unos meses en Australia con su mujer y su hijo pequeño. Elige la opción correcta.

1 Adrián y Jaime al principio de la conversación tienen problemas con...
  a el sonido.
  b la imagen.
  c la imagen y el sonido.

2 Adrián quiere conseguir...
  a un puesto en la Universidad de Canberra.
  b trabajo en una guardería.
  c un empleo.

3 La mujer de Adrián, Marta, trabaja...
  a en un proyecto de la Universidad.
  b como directora de un departamento de la Universidad.
  c dando clases de español en la Universidad.

4 Marta y Adrián tardaron algún tiempo en...
  a acostumbrarse al acento.
  b encontrar casa.
  c acostumbrarse al trabajo.

5 Adrián y Marta...
  a tienen ganas de tener una niña.
  b van a tener otro hijo.
  c van a esperar un poco antes de buscar otro bebé.

2 Y ahora, opina. ¿Qué ventajas crees que tiene el hecho de que estos amigos se comuniquen a través de una videoconferencia y no de un chat?

3 En parejas, imaginad que ya estáis de vuelta en vuestro país y estáis hablando por *Skype* con vuestro/a compañero/a de clase. Tenéis muchas cosas que contaros sobre la vuelta a casa. Preparad una conversación de cinco minutos y representadla en clase.

4 Lee.

A Relaciones personales.

1 Antes de leer el texto, habla con tus compañeros/as: ¿qué características crees que debe tener alguien para que sea considerada como *una persona agradable* de acuerdo con tu cultura? Aquí tienes algunos ejemplos.

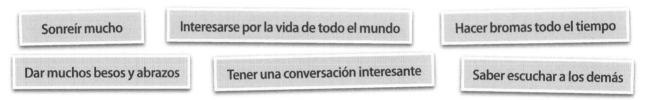

Sonreír mucho

Interesarse por la vida de todo el mundo

Hacer bromas todo el tiempo

Dar muchos besos y abrazos

Tener una conversación interesante

Saber escuchar a los demás

2 Lee el siguiente texto mexicano en el que se aconseja cómo ser una persona agradable e intenta responder a las preguntas sin consultar el texto.

Tu personalidad es la suma total de las características y apariencias que te hacen diferente a los demás: la ropa que utilizas, tu tono de voz, las arrugas de tu cara, las canas, tus pensamientos, y la forma en la que los expresas.

Existe una manera de hacer que tu personalidad siempre atraiga y es interesarte por los demás con sinceridad, sin caer en adulaciones baratas y desarrollar la habilidad de hablar con determinación, de hablar con convicción, de tratar de transmitir con seguridad algo que piensas o crees.

Desarrolla un carácter positivo y optimista. Cuando saludes a alguien procura mirarlo siempre a los ojos. Si de verdad deseas tener una personalidad agradable, procura dejar de quejarte, y trata de expresarte siempre positivamente. No seas de esas personas que siempre están viendo solo lo malo.

El verdadero éxito en la vida se logra procurando tener conexiones humanas de calidad.

Algunos consejos para convertirte en una persona agradable:
- Mantén siempre una actitud positiva y alegre.
- Evita los chismes y hablar mal de los demás.
- Procura ser siempre tú el que salude primero.
- No hagas bromas que humillen o hagan sentir mal a la otra persona.
- Procura no contradecir, aunque no compartas la opinión de los demás.
- Aprende a saber escuchar y a animar al otro a hablar.
- Recuerda que quien pisa con suavidad, llega lejos.

(Texto basado en: *http://www.youtube.com*)

---

1 ¿Qué aspectos pueden reflejar la personalidad de una persona?

_____

2 ¿Qué hay que hacer para que la personalidad de alguien sea atrayente?

_____

3 ¿Cómo se logra el éxito en la vida?

_____

4 ¿Estás de acuerdo con la información que se da en el texto? Habla con tu compañero/a.

_____

B **Amigos en *Facebook*.**

   1 **Lee la siguiente conversación en *Facebook* de un grupo de antiguos alumnos de un colegio que están organizando una comida para volver a verse y di si son verdaderas (V) o falsas (F) estas afirmaciones sobre el texto.**

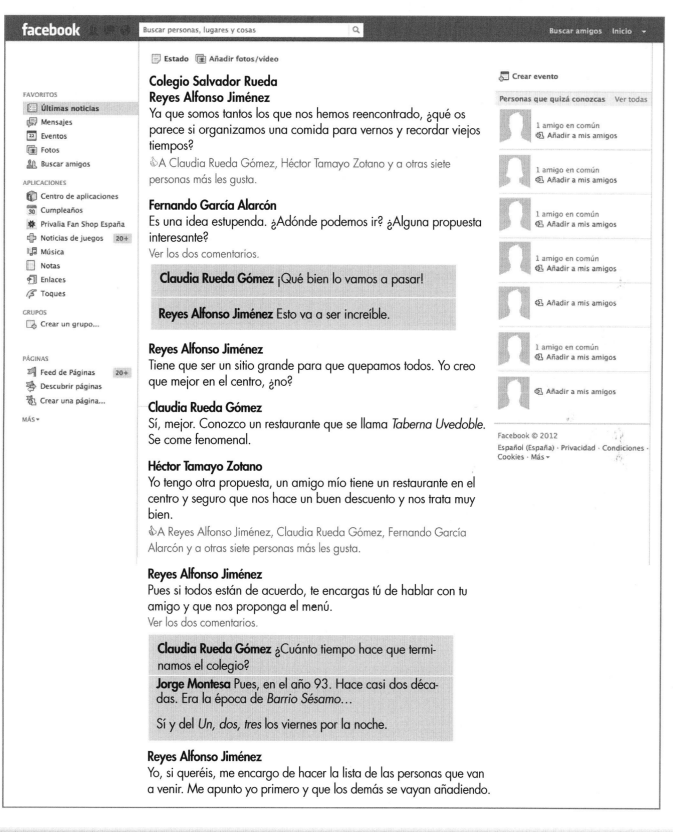

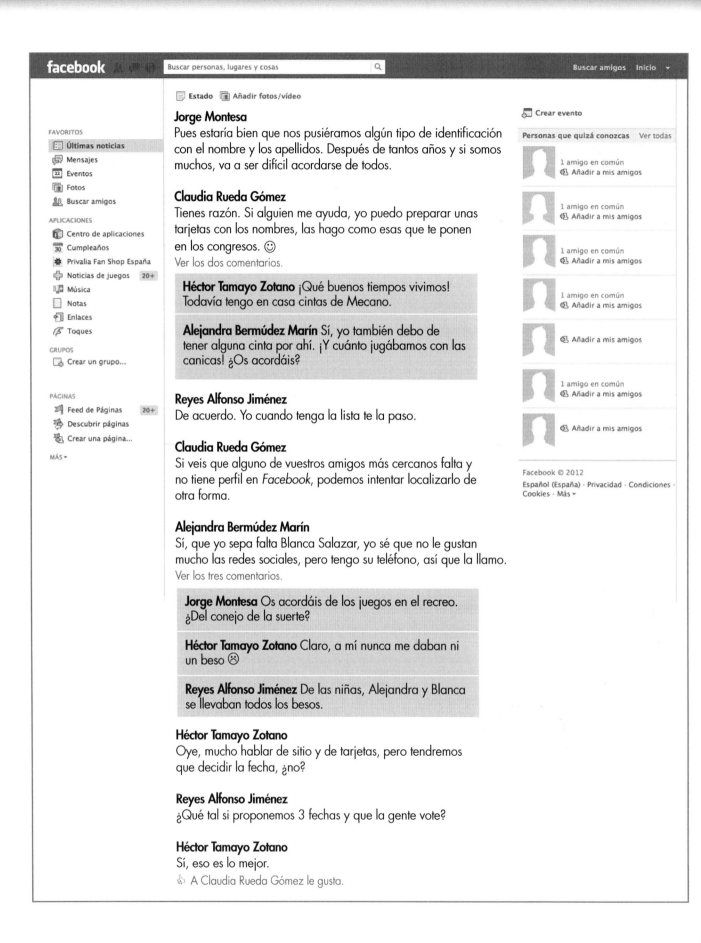

	V	F
1 Se han propuesto dos lugares distintos donde ir a comer.		
2 Uno de los antiguos alumnos va a hacer la lista para que la gente se vaya apuntando.		
3 Todos los antiguos alumnos de la promoción del 93 están registrados en *Facebook*.		
4 En la conversación se mencionan antiguos profesores del colegio.		
5 El conejo de la suerte era la mascota del colegio.		
6 El día de la comida se elegirá por votación.		
7 Las tarjetas identificativas se recogerán en la puerta del restaurante.		
8 Habrá una persona encargada de recoger todo el dinero.		
9 Las personas que mantienen la conversación muestran su entusiasmo ante el hecho de volver a verse.		
10 Jorge propone que se suban fotos de la comida a *Facebook*.		

2 A lo largo de la conversación se recuerdan distintos aspectos de la época de los ochenta. Relaciona la información de ambas columnas. Podéis informaros un poco más sobre estas cuestiones en la *Wikipedia*.

1 Un, dos, tres	**a** Juguete infantil
2 Barrio Sésamo	**b** Serie infantil
3 Mecano	**c** Juego infantil
4 Canicas	**d** Grupo de música pop
5 El conejo de la suerte	**e** Programa de televisión

3 A lo mejor tú también te has reencontrado con alguien gracias a las redes sociales. Cuéntaselo a tus compañeros/as y dales detalles sobre el asunto.

5 **Escribe.**

Elige dos de los siguientes textos y escribe tu opinión. Recuerda que tienes una guía para escribir textos argumentativos en la página 127 del libro del alumno *Nuevo Avance Superior*.

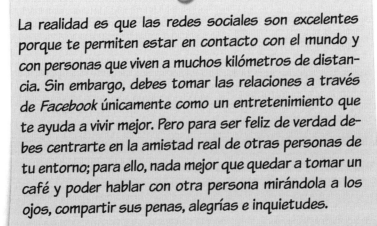

La realidad es que las redes sociales son excelentes porque te permiten estar en contacto con el mundo y con personas que viven a muchos kilómetros de distancia. Sin embargo, debes tomar las relaciones a través de *Facebook* únicamente como un entretenimiento que te ayuda a vivir mejor. Pero para ser feliz de verdad debes centrarte en la amistad real de otras personas de tu entorno; para ello, nada mejor que quedar a tomar un café y poder hablar con otra persona mirándola a los ojos, compartir sus penas, alegrías e inquietudes.

Las amistades a través de las redes sociales son artificiales, sencillamente, porque ni siquiera puedes ver el rostro de la otra persona. Sin embargo, muchas personas equiparan el prestigio social con el hecho de tener una lista de amigos interminable. De hecho, existen personas que tienen una lista de mil amigos, quinientos o trescientos, una barbaridad porque la realidad es que la amistad en esencia no es real cuando tienes que dividir tu energía entre tantas personas.

Algunas personas no tienen un concepto claro de la intimidad, por ello dicen: «te quiero» de la forma más frívola en un muro de *Facebook* como si el hecho de que otras personas pudieran leer el mensaje hiciera que fuera más real. La verdad es que merece la pena hacer un uso adecuado de las nuevas tecnologías, es decir, dar a cada cosa el espacio que merece.

(Fragmentos extraídos de:
http://saludmentesana.com)

_____

_____

_____

_____

_____

_____

_____

_____

¿Y si montáramos una empresa?

1. Contenidos gramaticales

1 Completa estos tres diálogos con los verbos en el tiempo y modo correctos.

● Estoy pensando que si (conseguir) (1) _____*consigo*_____ ahorrar bastante para el año que viene, voy a abrir algún negocio. Luis, ¿te gustaría ser mi socio, si (decidirse, yo) (2) _____ a montar uno?

▼ ¡Vaya, hombre! Pues si me lo hubieras dicho antes, a lo mejor (animarse) (3) _____, pero me he gastado todos los ahorros que tenía en el viaje a Vietnam.

● Si no (encontrar, tú) (4) _____ trabajo, tendremos que irnos a vivir al extranjero.

▼ Si no queda otra posibilidad, (irse, nosotros) (5) _____. Pero (ser) (6) _____ mejor para los niños si nos fuéramos a un país anglosajón.

● He estado mirando las entradas para el musical de *Sonrisas y lágrimas* y solo quedan para el viernes. No hay para el sábado.

▼ Vaya, yo el viernes no puedo. Si me lo (decir) (7) _____ antes, las (reservar) (8) _____ por internet.

● Qué pena que solo esté hasta el sábado. Si el musical (quedarse) (9) _____ algunos días más, habría ido a verlo.

2 Aquí tienes algunas situaciones en distintos tipos de empresas y negocios. Completa las oraciones condicionales con los verbos del cuadro en su tiempo y modo correctos.

Empresa de catering
Si (1) _nos llaman_ para reservar, diles que tenemos la agenda completa todo el mes de mayo con las comuniones. Que la reserva tendría que ser para el mes de junio.

Taller de coches
Como no (2) _____ el coche en diez minutos, cerramos y no podrán tenerlo hasta el lunes.

Negocio de aire acondicionado
Se nota que este verano no ha sido muy caluroso. Si hubiera hecho tanto calor como el año pasado, (3) _____ más aparatos de aire acondicionado.

Empresa de telefonía móvil
Le haremos una oferta que no podrá rechazar, con tal de que no (4) _____ de compañía.

Tienda de juguetes
Acabamos de abrir y todavía no viene mucha gente. Si pusiéramos un *cuentacuentos* gratuito una vez a la semana, (5) _____ publicidad.

Restaurante
Si (6) _____ más espacio, podríamos ampliar la cocina para estar más cómodos.

Tienda de ropa
En caso de que no (7) _____ bien, puede cambiarlo sin problema antes de treinta días.

Escuela de idiomas
Cada curso de idiomas cuesta unos 400€ al mes. No podré matricularme, a menos que (8) _____ la beca.

quedarle
recoger
cambiarse
tener
concederme
darnos
llamarnos
vender (nosotros)

Para aclarar las cosas
Un cuentacuentos es un narrador oral de cuentos e historias. En la página 91 del libro del Alumno de Nuevo Avance Intermedio, hablamos de Bonifacio Ofogo, un cuentacuentos camerunés que vive en España hace mucho tiempo.

3 Lee esta página de un blog que da consejos sobre los miedos al iniciar un negocio. Elige la partícula más adecuada en cada caso.

INICIO · · · SUSCRIBE: POST | COMENTARIOS

Lo más importante. No dejes tu trabajo actual (1) *si/a menos que/como* tengas claro que realmente quieres tener tu propio negocio.

Cero miedos. (2) *Si/ En caso de que/A condición de que* no te importa perder tus ingresos fijos y no tienes miedo a salir de la rutina, estás listo para pensar qué tipo de negocio te gustaría abrir.

Rectificar es de sabios. Piensa que (3) *como/a menos que/en caso de que* el negocio no marchara bien, siempre es posible rectificar. Podrías modificar algunos aspectos (4) *si/con tal de que/excepto que* lo hagas a tiempo y no sea demasiado tarde.

No hay estrés. (5) *Si/ A condición de que/A no ser que* lo que te preocupa es no poder aguantar el estrés, piensa que tú eres tu propio jefe y que puedes organizarte el tiempo o incluso delegar en otras personas.

El cliente siempre tiene razón. Tampoco tengas miedo a no satisfacer a tus clientes. (6) *Con tal de que/Si/A menos que* ellos no están contentos, te lo harán saber pronto.

Los ingresos. Seguro que vas a ganar más dinero que antes haciendo lo que te gusta, (7) *a no ser que/a condición de que/si* tengas muy mala suerte. Pero eso no va a ocurrir.

No te preocupes por nada. Tener miedo al fracaso es un sentimiento habitual, pero (8) *con tal de que/como/si* haces las cosas bien y con ilusión, seguro que todo va a salir perfectamente.

4 **Reflexiona y contesta.**

A 1 **¿Cuál de los siguientes ejemplos te parece una amenaza por parte de un jefe? Justifica tu respuesta.**

- *Podéis salir antes, a condición de que lo dejéis todo listo para mañana.*
- *Si lo tenéis todo listo en una hora, la empresa invita a una comida.*
- *De aquí no salimos como no tengáis esto listo para mañana.*

2 **Ahora imagina que eres una de estas personas y amenaza a alguien.**

Eres un padre de mal humor: _____

Eres un cliente muy enfadado: _____

B **Relaciona estos ejemplos con uno de los siguientes sentimientos.**

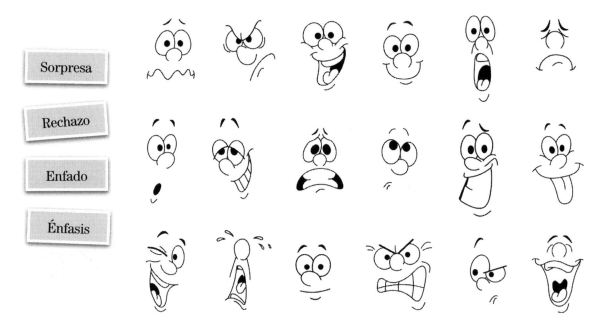

Sorpresa

Rechazo

Enfado

Énfasis

1 ● Le han dado las notas a Ricardo y ha aprobado la que le quedaba.
▼ ¡No me digas! ¡Qué bien! Se lo merecía después de haber pasado todo el verano estudiando...

_____

2 ● No veas de lo que me he enterado.
▼ ¿Qué? Cuenta, cuenta, que me tienes intrigada.
● Que Carmen Plata ha dejado a su marido porque, por lo visto, llevaba una doble vida.
▼ ¡Qué fuerte!

_____

3 ● ¿Sabes que van a bajarles el sueldo a todos los trabajadores de la empresa?
▼ No me hables. No me hables. Que a mí ya me lo han bajado.

_____

4 ● ¿Ya sabes que Ignacio se va de la empresa? Le hemos organizado una comida de despedida el martes.
▼ Pues no sé si voy a poder ir. Estoy muy liado con el nuevo proyecto.
● Pero, hombre, **no me vengas con esas**... tú no puedes faltar.

_____

2. Contenidos léxicos

1 Aquí tienes frases relacionadas con el mundo empresarial. En parejas, aseguraos de que 👤))10
entendéis su significado y colocad en el texto las palabras que aparecen en negrita. Luego,
escuchad y comprobad vuestras respuestas.

> La actitud de los **empleados** es fundamental para la explotación de una **empresa**.

> Para identificar **oportunidades** de **negocio** es importante conocer los **mercados**.

> Una buena dinámica de **generación de ideas** es básica para el **diseño** de **productos** novedosos.

> Nuestras **propuestas** comerciales deben satisfacer la **demanda** del **cliente**.

¿Qué es la innovación?

La innovación es el motor que transforma las ideas en valor. Y por valor entendemos algo que genera resultados positivos para todas las partes implicadas en una organización, desde la propia (1) _empresa_ hasta los clientes o usuarios. Por lo tanto, la innovación debe funcionar de manera continua en toda la organización. Pero, ¿cómo se logra este reto? En primer lugar es necesario coordinar las áreas dedicadas a la explotación del (2) _____ con las implicadas en la exploración de nuevos (3) _____. A partir de ahí comienza el proceso de (4) _____, que consiste en detectar (5) _____ y problemas, observando en el interior y en el exterior de la organización. De este modo, la exploración permanente del entorno se convierte en una fuente potencial de nuevos (6) _____ y servicios. Además, la innovación no debe limitarse al departamento de I+D, sino que hay que incentivar un sistema abierto en el que todos los (7) _____ puedan hacer (8) _____. Tras conseguir ideas potencialmente interesantes, el siguiente paso consiste en analizar qué valor aportan al (9) _____. Antes, el valor se atribuía a algo que simplemente funcionaba, pero hoy este aspecto funcional, aunque sigue siendo necesario, ya no es suficiente. Y es que en una sociedad del exceso, en el que la oferta es superior a la (10) _____ en casi todo, las empresas proponen capas y capas sucesivas de valor para que sus propuestas sean aceptadas. Así, la cosa en sí ha pasado a un segundo plano y el valor se relaciona más con el (11) _____, el estilo, la experiencia del usuario, o la vivencia de una propuesta.

3. De todo un poco

1 **Interactúa.**

1 Vamos a imaginar que decides montar un negocio en España. Te damos varias opciones de negocio. Justifica tu elección.

- Una heladería
- Un albergue para jóvenes
- Una tienda para alquilar bicis
- Una lavandería
- Un restaurante de comida típica de tu país
- Una librería especializada en lenguas extranjeras
- Una empresa de depilación láser

Otro: _____

2 Luego, explícale a tu compañero/a los siguientes detalles.

- Cómo te gustaría que fuera el negocio.
- Dónde te gustaría que estuviera situado.
- A qué público estaría dirigido.

- Qué cosas harías para darle difusión al negocio.
- En qué se diferenciaría de otros negocios similares en España.

2 **Habla.**

Mercadona, Movistar, Repsol o El Corte Inglés son algunas de las empresas más importantes de España. Cada uno/a de vosotros/as debe elegir una empresa española de entre las que os ofrecemos y tenéis que presentarla en diez minutos. Infórmaos a través de la *Wikipedia*.

Posibles empresas

Mercadona • Repsol • El Corte Inglés • Movistar • Banco Santander
Endesa • Inditex • Grupo Barceló • Acciona • Grupo Planeta • Ferrovial • Mapfre

Datos sobre los que informarse

- Qué productos comercializa.
- Cuándo y cómo surgió la empresa.

- En qué otros países se encuentra la empresa.
- Otras ideas interesantes.

Antes de hablar puedes preguntarle a tus compañeros/as de clase si conocen la empresa y qué datos tienen sobre la misma. Deja que ellos/as te cuenten lo que saben y luego completa tú la información con una presentación entretenida.

3 **Escucha.**

Emprendedores.

1 Hoy en Onda Meridional hemos entrevistado a Antonio Sánchez Pascual, 👤)) 11
emprendedor, inversor y empresario del sector de las nuevas tecnologías.
Escucha la audición y di si estas afirmaciones son verdaderas (V) o falsas (F).

	V	F
1 La persona que abre una empresa tiene que tener la capacidad de sacrificarse.		
2 El éxito cuando se monta una empresa depende únicamente del perfil del emprendedor.		
3 El éxito o el fracaso a la hora de emprender un negocio puede ser pura casualidad.		
4 Solo hay fracaso cuando uno se marcha a casa y no lo vuelve a intentar.		
5 En España los emprendedores suelen ser más jóvenes que en otros países europeos.		
6 Todo el mundo vale para ser emprendedor, todo depende del momento en que se emprenda.		
7 La universidad española fomenta que los jóvenes sean emprendedores.		
8 Hoy en día todas las empresas están presentes en internet de alguna manera.		

2 **En parejas, comentad si estáis de acuerdo con las opiniones de Antonio Sánchez Pascual y justificad vuestra respuesta.**

4 **Lee.**

Relaciones personales.

1 La innovación y la forma de enfocar un negocio puede ser la clave del éxito. Vamos a leer las explicaciones que da Javier Ortego, director de *marketing*, en su *blog* sobre el libro *La estrategia del océano azul*.
Antes de leer el texto. Vamos a aclarar dos nuevos conceptos empresariales.

> *Océanos rojos:* mercados existentes y muy explorados donde hay una gran competencia.
>
> *Océanos azules:* nuevos mercados donde no existe la competencia.

La estrategia del océano azul (Blue Ocean Strategy) cuenta cómo algunas empresas utilizan herramientas de innovación estratégica, basadas en técnicas utilizadas por Leonardo Da Vinci.

Para ello buscan fórmulas capaces de hacer que nos salgamos de los procesos de lógica tradicional, buscando lograr un proceso creativo.

Da Vinci, para dibujar caricaturas y caras grotescas, utilizaba una técnica con diferentes pasos:

1 Realizaba una lista de características de la cara. Así, todos los rostros tienen ojos, nariz, orejas, boca…

2 Posteriormente imaginaba variaciones de cada característica. Por ejemplo, los ojos pueden ser grandes, redondeados, saltones…

3 Finalmente, dibujaba los rostros combinando de manera aleatoria las diferentes posibilidades que había identificado de cada una de las características constantes.

Así podía dibujar unos ojos desproporcionadamente grandes, o una boca muy pequeña.

Esta forma de encontrar la creatividad usada por Leonardo Da Vinci es precursora del método de formulación estratégica explicado por los autores de *La estrategia del océano azul*, aplicadas al mundo de los negocios, para poder desarrollar nuevos mercados y fórmulas de valor para el consumidor.

Los autores llaman a los nuevos mercados generados *océanos azules*, mientras que denominan *océanos rojos* a aquellos mercados ya existentes en plena dinámica competitiva de las empresas que lo integran.

En resumen, la técnica que presentan estos autores para crear nuevos conceptos de negocios contempla las siguientes fases:

1 Identificar el producto o servicio en el que se quiere innovar.

2 Enumerar sus características constantes.

3 Imaginar las posibles variaciones de una de sus características.

4 Describir la forma actual en la que se entregan los diferentes productos y servicios por parte de la competencia.

5 Identificar a su público objetivo y conocer sus necesidades.

6 Combinar creativamente las características, creando una nueva propuesta de valor específica para las necesidades de un público objetivo.

La estrategia del océano azul busca encontrar formas de diferenciarse de la competencia y de reducir costes, dirigiéndose a un grupo de clientes o segmento no atendido hasta el momento.

Un ejemplo muy ilustrativo del uso de esta estrategia es el caso del Circo del Sol (*Cirque du Soleil*) que introdujo un nuevo concepto de espectáculo en el mundo del circo, donde los animales quedaron fuera, y se potenciaron la danza y el teatro. A diferencia de los otros circos, el público objetivo ya no eran los niños, sino los adultos. Lógicamente al tratarse de un nuevo concepto la competencia era nula.

En definitiva, este libro rompe con las ideas tradicionales basadas en la competitividad y recomienda la búsqueda de nuevos mercados que creen una nueva demanda y generen valor a través de la innovación.

(Texto extraído y adaptado de: *http://javierortego.com/?p=510*)

2 De acuerdo con lo que habéis leído, contestad con vuestras propias palabras a las siguientes cuestiones.

1 ¿En qué se diferencian un océano azul y uno rojo?

_____

2 ¿Qué tienen que ver entre sí el concepto de creatividad y las técnicas usadas por Leonardo Da Vinci?

_____

3 ¿Por qué es importante conocer bien al público objetivo en la creación de nuevos negocios?

_____

4 ¿Cuál es el objetivo principal de *La estrategia del océano azul*?

_____

5 ¿Qué innovación introdujo el Circo del Sol con respecto a otros circos tradicionales?

_____

3 En grupos, señalad qué nuevas características tienen los siguientes productos con respecto a su mercado tradicional. Podéis buscar información en internet.

4 ¿Crees que un nuevo concepto en España como el cine-guardería (donde los padres vayan al cine y puedan dejar a sus hijos bien cuidados en un espacio infantil) funcionaría bien? Comenta las ventajas e inconvenientes. ¿Se te ocurren otras ideas innovadoras?

_____

_____

_____

_____

_____

_____

_____

_____

5 **Escribe.**

Vamos a suponer que eres el encargado de un hotel y tienes que hacer un pedido de *amenities* (pequeños artículos de aseo personal que se colocan en los cuartos de baño de los hoteles) para un mes. Necesitas también que te den el precio total, las condiciones de pago y el plazo de tiempo en el que serán servidos los productos. Ten en cuenta que el hotel tiene 20 habitaciones dobles y 5 individuales, así podrás hacer un cálculo aproximado de la cantidad de productos que necesitas.

El pedido deberás hacerlo a: *Amenities collection*, una empresa especializada en la fabricación de *amenities* para hoteles de todas las categorías.

Datos del hotel:
Hotel Pez Espada
C/ Sierpes, 10
41004 - Sevilla
hotelpezespada@gimil.com

Datos de la empresa
Amenities Collection
C/ Serrano, 24
28001 - Madrid
amenities.col@gimil.com

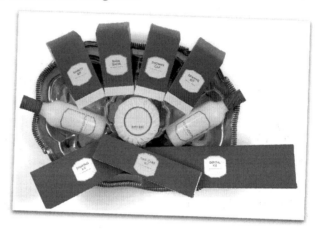

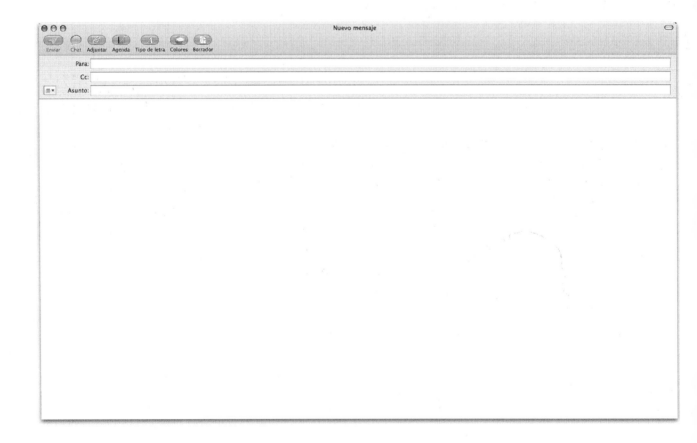

¿Escuchas, lees o miras?

1. Contenidos gramaticales

1 Completa con la preposición *por* o *para*. Luego justifica tu elección.

1 ● Oye, mamá, me voy a dar un paseo con mis amigos ___*por*___ el barrio.
▼ Vale, pero no llegues muy tarde. Ya sabes que te esperamos _____ comer.

2 ● ¿De qué tema os interesa más que hablemos hoy en clase? ¿De cine o de música española?
▼ _____ mí los dos temas son muy interesantes. Así que _____ mí no hay problema, el que prefieran mis compañeros.

3 ● Vamos a organizar a mi padres una fiesta sorpresa _____ su aniversario. Se casaron hace 25 años; son sus bodas de plata.
▼ Me encanta la idea. ¿Y cuándo será la fiesta?

4 ● Juan Carlos, el del tercero, ha sido elegido presidente de la comunidad _____ los vecinos.
▼ Pero, si ese tío está fatal de la cabeza.

5 ● Este coche lo compramos en el año 2001 y la verdad es que está como nuevo. Solo tiene 40 000 km.
▼ ¿En serio? Pues tiene muy pocos kilómetros _____ los años que tiene.

6 ● He ido a una librería de segunda mano a vender todos los libros que tenía en casa, pero me han dado una miseria _____ ellos.
▼ Yo los que tenía en casa, los doné. ¡_____ lo que te dan, no merece la pena venderlos!

7 ● Mis padres vinieron a España _____ razones de trabajo.
▼ ¿Vinieron _____ quedarse o pensaban volver a su país?

8 ● Cariño, cierra los ojos que tengo una cosita _____ ti.
▼ ¿Me has comprando un regalo _____ el día de los enamorados?

9 ● Estoy buscando trabajo _____ todas las empresas de la ciudad.
▼ ¿Has actualizado tu currículum? _____ encontrar trabajo hoy en día necesitas tener un buen currículum.

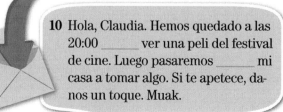

10 Hola, Claudia. Hemos quedado a las 20:00 _____ ver una peli del festival de cine. Luego pasaremos _____ mi casa a tomar algo. Si te apetece, danos un toque. Muak.

2 **A Completa con las preposiciones que faltan.**

1 Estas son las llaves maestras del hotel, sirven ___para___ abrir todas las habitaciones.

2 Ha aprobado las Matemáticas gracias a su padre, que le ha ayudado _____ hacer ecuaciones.

3 Me enamoré _____ mi mujer en cuanto la vi.

4 En esta asociación luchamos _____ mejorar la calidad de vida de los vecinos.

5 Mi abogado me ha recomendado que opte _____ aceptar el acuerdo con la empresa.

6 Antes de hablar, tienes que pensar _____ lo que vas a decir.

7 ¿No te acuerdas _____ mí? Estudiamos juntos en el colegio.

8 Mi hermana Carla siempre ha soñado _____ ser actriz.

9 Tienes que estar muy preparado _____ impartir una clase en otro idioma.

10 De pequeño me peleaba _____ mi hermano constantemente.

B Completa con los verbos anteriores según la preposición que exija cada uno. Luego piensa si en tu lengua se usa otra preposición distinta.

A	CON	DE	EN	PARA	POR
				sirven	

3 **Completa con el pronombre sujeto si es necesario.**

1 ● Oye, ¿___Ø___ habéis visto la peli *Lo imposible*?
___Yo___ la vi el otro día, está muy bien.
▼ No, _____ todavía no la hemos visto, pero _____ queremos verla.

2 ● ¿Quién se va a encargar de comprar las bebidas?
▼ Venga, _____ las compramos.
● Vale. Entonces _____ hago el postre y _____ os ocupáis de las bebidas.

3 ● Después de tantos años viviend[o] juntos, _____ han decidido casarse.
▼ ¿Y cómo se casan _____, por lo civil o por la iglesia?
● No me hagas mucho caso, pero _____ creo que por lo civil.

4 ● _____ tienes que hablar más alto y claro, no se te entiende muy bien.
▼ ¿Quién? ¿_____?
● No, _____ no, tu compañero.

5 ● _____ he empezado un curso de cocina y _____ estoy aprendiendo mucho.
▼ Pues, _____ (*señalando a su mujer*) hizo uno el año pasado y la verdad es que le gustó mucho, pero en casa el que sigue cocinando soy _____.

4 **Reflexiona y contesta.**

A Explica la diferencia de significado que hay entre estos ejemplos.

1 **a** *Mi cuñado Luis ha trabajado hoy por mí.*
 b *Mi cuñado Luis ha trabajado hoy para mí.*

2 **a** *Esta joya ha sido fabricada por la familia real.*
 b *Esta joya ha sido fabricada para la familia real.*

B 1 ¿Por qué en el primer caso se prefiere el uso del sujeto *nosotros* y en el segundo caso no? Justifica tu respuesta.

> **1** ● Oye, ¿habéis visto la peli *Lo imposible*? Yo la vi el otro día, está muy bien.
> ▼ No, **nosotros** todavía no la hemos visto, pero queremos verla.
>
> **2** ● Oye, ¿habéis visto la peli *Lo imposible*?
> ▼ No, **Ø** todavía no la hemos visto, pero queremos verla.

2 Ahora, responde a estas preguntas usando el sujeto si es necesario.

> **1** ● ¿Has leído alguna novela en español? ¿Cuál?
> ▼ _____.
>
> **2** ● ¿Has visto la película *Los otros*? Yo la he visto y me encanta.
> ▼ Pues, _____.
>
> **3** ● ¿Has escuchado alguna vez a Joaquín Sabina? Yo, muchas.
> ▼ Pues, _____.

C 1 ¿Qué respuestas muestran más grado de aceptación? ¿Y cuáles menos? Justifica tu respuesta.

1 Yo creo que no va a venir más a clase, realmente no le interesaba aprender español.
 a Yo estoy totalmente de acuerdo contigo.
 b Bueno, si tú lo dices, será por eso, pero a lo mejor ha tenido problemas en el trabajo.
 c Para nada. Está enfermo pero en cuanto se mejore, piensa venir a clase.

2 Últimamente no les debe de ir muy bien. Nunca los veo juntos.
 a ¡Qué va! Pero si van a casarse.
 b Sí, se han peleado definitivamente y me han comentado que ella está saliendo con otro chico.
 c ¿Tú crees? ¿De verdad? Bueno, puede ser que la cosa no les vaya tan bien como antes.

2 Lee la opinión de la chica y responde siguiendo las indicaciones.

> Creo que no nos ha devuelto la llamada porque no tiene ganas de quedar.

1 Acepta totalmente la opinión.

_____ .

2 Acepta parcialmente la opinión.

_____ .

3 No acepta la opinión.

_____ .

2. Contenidos léxicos

1 A Lee el retrato de Rosita, uno de los personajes de la novela *Las ilusiones del Doctor Faustino* de Juan Valera. Luego, en un cuadro recoge todos los sustantivos relacionados con partes del cuerpo y en otro todos los adjetivos.

> Era Rosita perfectamente proporcionada de cuerpo: ni alta ni baja, ni delgada ni gruesa. Su *tez*, bastante morena, era suave y finísima, y mostraba en las *tersas* mejillas vivo color de carmín. Sus labios, un poquito abultados, parecían hechos del más rojo coral, y cuando la risa los apartaba, lo cual ocurría a menudo, dejaba ver, en una boca algo grande, unas *encías* sanas y limpias y dos filas de dientes y muelas blancos, relucientes e iguales. Sombreaba un tanto el labio superior de Rosita un *bozo sutil*, y, como su cabello, negrísimo. Dos oscuros lunares, uno en la mejilla izquierda y otro en la barba, hacían el efecto de dos hermosas *matas de bambú* en un prado de flores.
>
> Tenía Rosita la frente recta y pequeña, como la de la Venus de Milo, y la nariz de gran belleza plástica, aunque más bien fuerte que afilada. Las cejas, dibujadas lindamente, no eran ni muy claras ni muy espesas, y las pestañas larguísimas se doblaban hacia fuera formando arcos graciosos.
>
> (Juan Valera, *Las ilusiones del Doctor Faustino*)

Sustantivos relacionados con partes del cuerpo	Adjetivos
cuerpo	alta
tez	baja

Para aclarar las cosas

Tez: *piel.*
Tersa: *lisa, sin arrugas.*
Encía: *carne que cubre la raíz de los dientes.*
Bozo: *vello en labio superior.*
Sutil: *tenue, delicado.*
Mata de bambú: *planta de cañas ligeras y muy resistentes que se destinan a diferentes usos.*

B Ahora, en parejas, tratad de pensar los sustantivos que corresponden a estos adjetivos. Gana la pareja que haya escrito más sustantivos acertados sin consultar el diccionario.

1 alto/a	*altura*	**9** hermoso/a	
2 delgado/a		**10** recto/a	
3 sano/a		**11** pequeño/a	
4 limpio/a		**12** fuerte	
5 blanco/a		**13** claro/a	
6 sutil		**14** espeso/a	
7 negro/a		**15** gracioso/a	
8 oscuro/a			

3. De todo un poco

1 **Interactúa.**

Busca y escucha en internet los tráileres de estas tres películas estrenadas en 2011 y presta mucha atención. Luego, en parejas, tenéis que explicar de qué creéis que trata cada una de las películas y cuál os gustaría ver, cuál no y las razones. (En las soluciones tenéis una sinopsis de cada película).

La piel que habito
de Pedro Almodóvar (España)

Güelcom
de Yago Blanco (Argentina)

> Creo que esta película trata de….

> Me gustaría verla porque…

> No me gustaría verla porque…

El chico que miente
de Marité Ugás (Venezuela)

2 **Habla.**

Haz una presentación de un cantante o grupo español o hispanoamericano. Llévales a tus compañeros/as la letra de una canción.

En tu presentación tienes que exponer los siguientes aspectos:

1 Breve biografía del cantante o del grupo.
2 Explicaciones de las palabras complejas de la canción.

3 Aspectos socioculturales difíciles de entender.
4 Tu interpretación personal o el mensaje de la canción.

Aquí te presentamos un ejemplo de lo que puedes hacer. Puedes ver y escuchar la canción en internet.

1 Biografía
Ramón **Melendi** (1979, Asturias), conocido como Melendi, es un cantante español. Su música se caracteriza por la rumba con influencias de rock y pop. Ha recibido el premio Ondas a la mejor canción por el tema «Caminando por la vida» (2005). También, tiene seis discos de platino.

2 Vocabulario difícil
Miga: porción pequeña de la parte interior y más blanda del pan.
Rumba: es un tipo de música y baile que nace en el Caribe y que se populariza en España a través de los gitanos.
Calé: gitano.
Milindri: apodo de Melendi quizá por su parecido con la palabra melindre ('delicado en exceso').
Irse los pies: no poder resistir la tentación de bailar.
Ir sobrado: tener mucha cantidad de algo.
Galón: distintivo que reconoce el rango militar de una persona.

Huele a aire de primavera,
tengo alergia en el corazón,
voy cantando por la carretera,
de copiloto llevo el sol.

Y a mí no me hace falta estrella
que me lleve hasta tu portal.
Como ayer estaba borracho,
fui tirando migas de pan.

Voy caminando por la vida,
sin pausa, pero sin prisas,
procurando no hacer ruido
vestío con una sonrisa.
Sin complejos ni temores,
canto rumbas de colores
y el llorar no me hace daño
y siempre cuando tú no llores.

Y el *milindri* a mí me llaman
en el mundillo calé
porque al coger mi guitarra
se me van solos los pies.

se me van solos los pies.
Y este año le pido al cielo
la salud del anterior.
No necesito dinero,
voy sobrao en el amor.

(Estribillo)

Y no quiero amores no correspondido
no quiero guerras,
no quiero amigos
que no me quieran sin mis galones.

No me tires flores,
ni falsas miradas de inexpresión
que no dicen nada
del corazón que me las propone.

(Estribillo)

3 Aspectos socioculturales
Estrella que me lleve hasta tu portal: en la tradición cristiana, una estrella guio a los Reyes Magos hasta el portal en Belén donde nació Jesucristo.

Fui tirando migas de pan: hace referencia al cuento de Hansel y Gretel, en el que los niños tiraban migas de pan para poder encontrar el camino de vuelta a casa.
Pedir al cielo: pedir a Dios.
Tirar flores: halagar a alguien

4 Mensaje de la canción
Melendi explica cómo es su vida y las cosas que le gustan.

Dice que él está contento y que se conforma con tener salud y amor.

También explica cuáles son sus preferencias en la vida: tener amores que sean correspondidos y amigos sinceros.

El cantante recomienda que se vaya por la vida con sencillez y sinceridad, y disfrutándola sin miedos.

3 **Escucha.**

Musicales.

1 **Vas a escuchar la opinión de varias personas sobre dos musicales. Antes de escuchar,** ⁽¹²⁾
**lee las informaciones sobre el musical *Hoy no me puedo levantar* realizado con canciones
del grupo Mecano, y sobre el musical *Quisiera ser* con las canciones del Dúo Dinámico.**

Hoy no me puedo levantar
http://www.hoynomepuedolevantar.com

Sinopsis

La historia se desarrolla en los años ochenta
en España. En un pueblo, dos amigos deciden
ir a la ciudad para formar un grupo: Mario y
Colate. Al llegar a Madrid no tienen dinero y
nadie les contrata como dúo, allí empiezan a
vivir todo tipo de aventuras.

LAS CANCIONES DEL MUSICAL

Mecano es un grupo español
de música pop activo entre
1981 y 1992. El grupo estaba
formado por Ana Torroja y
los hermanos Nacho y José
María Cano.

Quisiera ser
http://www.quisieraser.es/

Sinopsis

En el Ave de Madrid-Barcelona coinciden tres
mujeres cuyas vidas discurren por caminos
muy diferentes, pero que tienen un fuerte
lazo en común. Durante el viaje volverán a
reencontrarse con su pasado y descubrirán
el verdadero sentido de sus vidas.

LAS CANCIONES DEL MUSICAL

El **Dúo Dinámico** es un dúo
musical español muy popular
en España y América Latina
en los años sesenta del siglo
XX. Formado por los músicos
y compositores Manuel y
Ramón.

2 **La información que has leído te ayudará a decidir de qué musical habla cada una de
estas personas. Escucha y marca con una cruz (X) de qué musical se trata.**

	Hoy no me puedo levantar	Quisiera ser
1		
2		
3		
4		
5		
6		

3 **Vuelve a escuchar las opiniones que han dado estas personas y di si les ha gustado
o no el musical.**

👍👍 = Todo bien.
👍👎 = Algo bien y algo mal.
👎👎 = Todo mal.

Primera opinión.	a 👍👍	b 👍👎	c 👎👎
Segunda opinión.	a 👍👍	b 👍👎	c 👎👎
Tercera opinión.	a 👍👍	b 👍👎	c 👎👎
Cuarta opinión.	a 👍👍	b 👍👎	c 👎👎
Quinta opinión.	a 👍👍	b 👍👎	c 👎👎
Sexta opinión.	a 👍👍	b 👍👎	c 👎👎

4 **Lee.**

1 Lee este fragmento del cuento *Los padres mienten* de Juan José Millás. Antes de leer, asegúrate de que sabes quiénes son Melchor, Gaspar y Baltasar y por qué despiertan tanta ilusión en los niños.

Los padres mienten

Mi hermano mayor me despertó a medianoche para revelarme el siguiente secreto:

—Dentro de poco te dirán que los Reyes Magos son los padres. Se lo dicen a todo el mundo al cumplir tu edad. No te lo creas. Los Reyes existen, pero como los mayores no saben el modo de explicar su existencia, dicen eso, que son los padres.

Mi hermano dormía en la cama de al lado. Nuestra relación no era ni buena ni mala, así que a veces nos llevábamos bien y a veces mal. Pero éramos cómplices de muchas cosas. Fumamos el primer cigarrillo juntos; hurtamos juntos también las primeras monedas del bolsillo de la chaqueta de mi padre; él me hacía los deberes de matemáticas y yo los de lengua... Dependíamos el uno del otro, en fin, en demasiadas cosas. [...] Si los Reyes existían y él lo había averiguado, era mejor que yo lo supiera, por duro que resultara para mí.

Lo cierto es que yo ya había oído en el colegio rumores acerca de que Melchor, Gaspar y Baltasar eran los padres. Pero no les había prestado atención. Lo que no podía imaginarme era que los rumores procedieran de los adultos. Si ya les tenía poco respeto, lo perdieron del todo tras la revelación de mi hermano mayor.

En efecto, ese mismo año, cuando nos dieron las vacaciones de Navidad, mi madre me llamó un día y empezó a preguntarme qué pensaba yo de los Reyes Magos.

Le dije que les tenía en gran consideración (no de este modo, claro, no era un niño cursi), aunque no siempre me trajeran lo que les pedía, pues me hacía cargo de que había en el mundo muchos niños y que no podían complacer a todos. Mamá se quedó desconcertada, ya que lo normal, cuando a un chico se le quita la venda de los ojos

en este asunto, es que el chico esté ya al cabo de la calle. Creo que estuvo a punto de desistir, pero finalmente tomó aire y me dijo que los Reyes Magos eran los padres.

—Se trata —añadió— de una mentira que mantenemos durante la infancia, porque la infancia es una época de ilusiones fantásticas, pero tú ya no tienes edad para creer en los Reyes. A tu hermano se lo dijimos también cuando cumplió tus años.

Mi hermano me había aconsejado que cuando me contaran la mentira de que los Reyes eran los padres, fingiera que me lo creía, pues de lo contrario les parecería un chico raro y me llevarían al psicólogo.

—Yo —añadió— también lo fingí. Como comprenderás, si ellos se quedan más tranquilos así, tampoco cuesta tanto darles gusto.

Hice, pues, como que me lo creía y me fui a mi cuarto a escribir la carta a los Reyes, una carta, por primera vez, clandestina. Ese año, habida cuenta de que ya era un chico mayor y que me hacía cargo de la situación mundial, que era un desastre, les pedí cosas más razonables que en otras ocasiones. Mi hermano puso mi carta en el mismo sobre que la suya y se encargó de echarlas al correo. Curiosamente, ese fue el primer año que me trajeron todo lo que les pedí. [...]

(Juan José Millán, *Los padres mienten*)

2 Para comprobar que has entendido bien del texto, elige el significado de estas palabras y expresiones.

1 Quitarle la venda de los ojos a alguien.
  a Graduarle la vista a alguien.
  b Decirle la verdad de un asunto.

2 Estar al cabo de la calle.
  a Estar enterado de un asunto.
  b Irse a jugar con los amigos.

3 Carta clandestina.
  a Carta secreta.
  b Carta sin destinatario.

4 Revelación.
  a Mentira.
  b Descubrimiento.

5 Quedarse desconcertado.
  a Olvidar algo.
  b Sorprenderse y no saber qué hacer.

6 Ser un cursi.
  a Ser muy refinado y elegante en exceso.
  b Ser una persona sencilla.

7 Habida cuenta de (algo).
  a Darse cuenta de (algo).
  b Teniendo en cuenta (algo).

3 Di si las siguientes afirmaciones sobre el cuento son verdaderas (V) o falsas (F).

	V	F
1 Los hermanos tenían una relación inmejorable y se contaban todos los secretos.		
2 El niño le dice a su madre que no respetaba a los Reyes porque nunca le traían lo que pedía.		
3 Los padres deciden contarle a su hijo la verdad sobre la existencia de los Reyes Magos porque consideran que tiene una edad adecuada para ello.		
4 Cuando la madre le pregunta su opinión sobre los Reyes, duda de contárselo todo.		
5 Ante la confesión de los padres, el niño les muestra su desilusión.		
6 Al enterarse de que los Reyes no existen y que son los padres los que compran los regalos, decide pedirles menos cosas ese año.		

4 En parejas, comentad estas preguntas.

¿Por qué creéis que el hermano mayor le dijo que no creyera a los padres?

¿Por qué pensáis que ese año le trajeron todo lo que había pedido?

5 Escribe.

Te proponemos dos temas sobre los que puedes escribir.

A Escribe un retrato de ti mismo. Haz una descripción muy detallada de tus rasgos físicos y de tu personalidad. Intenta que sea una descripción bastante literaria. Ánimo que ya estás en un nivel B2 y seguro que te queda muy bien. No olvides usar alguno de los adjetivos y sustantivos que has aprendido en la actividad 1 de los *Contenidos léxicos*.

B Escribe tu opinión personal sobre las descargas en internet de canciones, películas y libros para uso privado.
- ¿Qué te parecen los precios de las descargas en internet?
- ¿En tu país se considera un delito descargar?
- ¿Crees que tiene futuro la edición electrónica?
- ¿Qué prefieres: el libro en papel o en formato electrónico?
- ¿Qué prefieres: escuchar una canción en CD o en internet?

A través de la ciencia

1. Contenidos gramaticales

1 Aquí tienes algunas citas. Elige la opción correcta en cada caso para completar la oración temporal o comparativa.

1 «Nunca escribo mi nombre en los libros que compro _____ no los he leído, porque solo entonces puedo decir que son míos». *Carlo Dossi*
a hasta que ✓
b antes de que
c tan pronto como

2 «Hay que tener buena memoria _____ haber mentido». *Pierre Corneille*
a antes de que
b después de
c hasta que

3 «La educación es lo que sobrevive _____ se olvida lo que se ha aprendido». *Burrhus Frederic Skinner*
a antes de
b cuanto menos
c cuando

4 «El pintor es el artista que toma más decisiones por minuto _____ trabaja». *Antonio Saura*
a apenas
b cuanto mayor
c mientras

5 «La felicidad es tanto mayor _____ la advertimos». *Alberto Moravia*
a antes de que
b cuanto menos
c después de

6 «Te conocerás a ti mismo _____ empieces a descubrir en ti defectos que los demás no te han descubierto». *Friedrich Hebbel*
a en cuanto
b siempre que
c hasta

7 «El hombre nunca sabe de lo que es capaz, _____ lo intenta». *Charles Dickens*
a antes de que
b cuanto menor
c hasta que

8 «La lectura alimenta el espíritu y le da reposo _____ está fatigado por el esfuerzo». *Lucio Anneo Séneca*
a a medida que
b cuando
c cuanto mayor

9 «_____ es la dificultad, mayor es la gloria». *Marco Tulio Cicerón*
a Cuanto mayor
b Cuanto más
c En cuanto

10 «Los hombres aprenden _____ enseñan». *Lucio Anneo Séneca*
a mientras
b cuanto peor
c cuanto mayor

11 «Puedes llegar a cualquier parte, _____ andes lo suficiente». *Lewis Carroll*
a hasta que
b siempre que
c antes de

12 «Nada es más peligroso que una idea _____ no se tiene más que una». *Émile Chartier Alain*
a antes de que
b cuanto menos
c cuando

2 Completa este texto sobre los dinosaurios con los verbos en el tiempo y modo correctos.

Los dinosaurios eran reptiles terrestres que existieron antes de que el ser humano (1) (habitar) _habitara_ la Tierra. Cuando los continentes (2) (estar) _____ unidos, los primeros dinosaurios eran pequeños, pero poco a poco fueron haciéndose más grandes hasta que (3) (convertirse) _____ en los animales dominantes del planeta.

Entre las especies más temibles se encontraba el Tiranosaurio Rex, que era uno de los carnívoros de mayor tamaño. Cuanto más (4) (aparecer) _____ en la gran pantalla, más famoso y conocido se ha hecho.

Pero no todos los dinosaurios eran seres carnívoros terribles, pues mientras unos (5) (alimentarse) _____ de insectos, aves y de todo lo que se movía, los dinosaurios herbívoros eran solo pacíficos devoradores de plantas.

Se han propuesto muchas y muy diversas teorías para explicar cómo se extinguieron los dinosaurios. Una de las teorías dice que desparecieron después de que un cataclismo (6) (afectar) _____ a la Tierra, pero lo cierto es que su desaparición sigue siendo una incógnita, ya que ninguna de estas teorías ha sido completamente contrastada, y por tanto, aceptada.

Lo que sí se ha comprobado es que en cuanto los dinosaurios (7) (desaparecer) _____ de la Tierra, los mamíferos pudieron prosperar más fácilmente.

A medida que la Paleontología (8) (avanzar) _____, se van haciendo nuevos descubrimientos que nunca dejan de sorprendernos. Siempre que los paleontólogos (9) (encontrar) _____ nuevos fósiles de dinosaurios, los esqueletos que se montan en los museos generan una gran atracción a lo largo y ancho del mundo.

3 Reflexiona y contesta.

A **1** Relaciona estos ejemplos con el valor temporal que expresan. Justifica tu respuesta.

	Simultaneidad	Posterioridad	Matiz condicional
1 El pintor es el artista que toma más decisiones por minuto mientras trabaja.			
2 Puedes llegar a cualquier parte, siempre que andes lo suficiente.			
3 Hay que tener buena memoria después de haber mentido.			

2 Ahora, intenta escribir una cita interesante expresando anterioridad o expresando el límite de una acción. Elegid la que más os guste de la clase.

_____

B 1 ¿En qué preguntas la persona que contesta está de mal humor? Razona tu respuesta.

> **1 ●** Mamá, ¿vamos a comer ya?
>   **▼ ¿Que si vamos a comer?** ¡Pero si todavía no habéis puesto ni la mesa!
>
> **2 ●** Vamos a ir a ver una actuación de los niños en el colegio...
>   **▼ ¿Que vais a ver una actuación de qué?** Habla más alto que no te oigo.
>
> **3 ●** ¿Por qué sales tan tarde del trabajo?
>   **▼ ¿Que por qué salgo tan tarde?** ¡Eso quisiera saber yo también!
>
> **4 ●** ¡¡¡Te están llamando al móvil, ♪♪♪♪ es un número desconocido. ♪♪♪♪!!!
>   **▼ ¿Que es un número qué?** Cógelo, cógelo.

2 Ahora, contesta a esta pregunta. En el primer caso contesta de mal humor y en el otro de buen humor.

¿Te has preparado ya todas las unidades del libro para el examen?

1 _____

_____

2 _____

_____

2. Contenidos léxicos

1 **A Relaciona las dos columnas con las palabras que has aprendido en esta unidad.**

1 Eclipse		**a** atómica
2 Células		**b** científico
3 Genoma		**c** terrestre
4 Nuevas		**d** madre
5 Rotación		**e** ficción
6 Vehículos		**f** solar
7 Energía		**g** tecnologías
8 Ciencia		**h** humano
9 Descubrimiento		**i** inteligentes

B **Completa estos titulares de noticias con las palabras de la actividad 1 A.**

1 Las _____ ayudan a lograr trasplantes sin rechazo.

5 Primer robot que realiza un _____.

2 Tecnología de _____ para las policías locales.

6 Expertos recomiendan filtros para ver el _____.

3 Bélgica espera sustituir la _____ por parques eólicos en 2020.

7 Reivindican el papel de las _____ como herramientas sociales.

4 Se completa el mapa del _____.

8 Los terremotos cambian el eje de _____.

9 El clásico de _____ *Blade Runner* cumple 30 años.

C **Invéntate dos titulares de noticias dejando un espacio correspondiente a una de las palabras anteriores. Tus compañeros/as tendrán que averiguar de cuál se trata.**

3. De todo un poco

1 **Interactúa.**

A **Curiosidades sobre la vida animal.**
En parejas, relacionad las siguientes características con uno de estos animales. Luego comentad cuáles de estas informaciones conocíais, cuáles no y cuáles os han sorprendido más.

Chimpancé
Mosquito
Mosca
Avestruz
Estrella de mar
Búho
Llama
Jirafa
Canguro rojo
Guepardo

1 Puede girar la cabeza 360 grados.	
2 Vive de 10 a 14 días y hasta un mes en condiciones favorables.	
3 Solo pican las hembras.	
4 Animales muy emparentados con los camellos, que están perfectamente adaptados a vivir en las alturas.	
5 El animal que más velocidad puede alcanzar corriendo sobre dos patas.	
6 Pueden crecer a partir de una parte del cuerpo que haya sido cortada.	
7 Entre los mamíferos tiene el récord de rapidez en el acto sexual.	
8 Es el animal más rápido a cuatro patas. Puede alcanzar hasta 100 km/h.	
9 Es el mayor mamífero autóctono de Australia. Es tan alto como una persona y pesa unos 90 kg.	
10 Su lengua es de color negro y mide entre 50 y 55 centímetros, de manera que puede limpiarse las orejas con ella.	

B Algunos mitos relacionados con la ciencia y con la vida cotidiana.
   En parejas, comentad vuestra opinión sobre lo que tienen de cierto estas afirmaciones.
   Justificad la respuesta. ¿En tu país también se dice esto? Vamos a comprobar qué mitos
   están más extendidos.

> 1 Si te afeitas el pelo, te crecerá más rápido, fuerte y oscuro.

> 2 No debes despertar a un sonámbulo porque le puedes provocar un *shock* o un ataque al corazón.

> 3 Tomar vitamina C te protege de los resfriados.

> 4 Comer espinacas te hace fuerte como Popeye.

> 5 Cuando una mujer está embarazada debe comer por dos.

> 6 Si una mujer embarazada tiene un *antojo* por algún alimento, debe comerlo porque,
> si no el bebé puede nacer con una mancha con la forma de ese alimento.

> **Para aclarar las cosas**
> Antojo: *fuerte deseo de comer algún alimento.*

2 Habla.

Elige una de estas dos opciones.

A Historieta.
   Aquí tienes un fragmento de una historieta de Quino. Mira bien las viñetas y busca
   en el diccionario las palabras que no sepas.
   a Describe y narra lo que ves.
   b Imagina que eres la madre. ¿Por qué crees que lleva a la hija al médico?

Quino©

B **Vida en otros planetas.**
   Tienes diez minutos para prepararte este tema. Puedes escribir lo que quieras, pero cuando lo expongas no podrás leerlo, solo echar una ojeada.

> ¿Crees que existe vida en otros planetas? Justifica tu repuesta.

> En caso de que exista vida, ¿crees que se podrían en contacto con nosotros?

> Suponiendo que haya vida, ¿crees que sería un tipo de vida similar al nuestro o totalmente distinto? ¿Crees que se parecerían a nosotros?

> ¿Crees que sería una civilización más desarrollada?

> ¿Crees que ya nos han visitado?

> ¿Has visto alguna peli de ciencia ficción que aborde este tema? Pon un ejemplo y explica brevemente de qué trataba.

3 **Escucha.**

1 **Vas a escuchar fragmentos de un programa de Televisión española** 13-17
   sobre *Curiosidades científicas.*
   Antes de escuchar, para entender mejor la audición, relaciona el significado de estos sustantivos y verbos con su significado.

Sustantivos

1 Objetos cotidianos.	**a** Instalación donde se crían peces y mariscos.
2 Ordenador de abordo.	**b** Camino.
3 Rumbo.	**c** Pequeña computadora instalada en el vehículo.
4 Piscifactoría.	**d** Cosas y utensilios habituales en la vida diaria.

Verbos

1 Extraer.	**a** Contratar.
2 Cuadrar.	**b** Sacar.
3 Esquivar.	**c** Hacer que coincidan los resultados.
4 Manipular.	**d** Moverse para evitar un choque.
5 Fichar a alguien.	**e** Tratar algo con precisión.

2 De acuerdo con la audición que has escuchado, señala si estas informaciones son verdaderas (V) o falsas (F).

	V	F
1 A principios del siglo XIX el aluminio era un metal muy valorado y popular.		
2 El aluminio pasó a costar una tercera parte menos cuando empezó a fabricarse industrialmente.		
3 Un equipo de investigadores ha demostrado que los ratones que comían carne cruda no solo adelgazaban más rápido, sino que además disfrutaban menos de la comida.		
4 Los coches que conducen solos ya no son parte de la ciencia ficción.		
5 En una demostración, un vehículo impidió la colisión con una animal que venía de frente.		
6 El salmón transgénico crece el triple de rápido que el normal.		
7 El salmón transgénico todavía no se puede comprar en los mercados.		
8 Han manipulado dos genes del salmón trasgénico, uno afecta al crecimiento y el otro al color.		
9 Kim Ung-Yong ha trabajado con la NASA hasta los 18 años.		
10 Con tan solo cuatro añitos sabía leer y escribir en cuatro idiomas.		

3 Relaciona las seis noticias de *Curiosidades científicas* con su título correspondiente.

Noticia 1	*Vehículos autónomos*
Noticia 2	*Salmón transgénico*
Noticia 3	*La carne cruda*
Noticia 4	*Récord Guinness de coeficiente de inteligencia*
Noticia 5	*Un metal precioso*

4 Lee.

1 Aquí tenéis una noticia sobre Ida, el fósil que podría explicar la conexión entre los humanos y el resto del reino animal. Antes de leer, vamos a aclarar algunos conceptos.

Primate: orden de mamíferos al que pertenecen el ser humano y sus parientes más cercanos: monos, gorilas, lémures, etc.

Eslabón perdido: expresión usada para referirse a la especie intermedia que explica un gran salto evolutivo entre dos especies distintas.

2 Lee la noticia y relaciona las palabras marcadas en negrita con una de estas definiciones.

1 Parte del cuerpo en donde se articula la mano con el antebrazo. _____
2 Extinción de la vida antes de tiempo. _____
3 Pata de un animal cuando tiene uñas curvas y fuertes. _____
4 Dedo primero y más grueso de la mano y del pie. _____
5 Parte posterior del pie. _____

El fósil Ida

Un equipo de científicos ha revelado al mundo el esqueleto fosilizado de un primate de 47 millones de años de antigüedad que podría convertirse en el eslabón perdido de la evolución humana. El fósil, al que han llamado *Ida*, ha sido presentado hoy en una rueda de prensa especial en Nueva York.

El descubrimiento del 95% del esqueleto de un mono-lémur ha sido descrito por los expertos como «la octava maravilla del mundo», al considerar que se ha completado la búsqueda de una conexión directa entre los humanos y el resto del reino animal que inició Charles Darwin hace 200 años con su libro *El origen de las especies*. Así, el equipo investigador señala a Ida como la prueba de la transición de las especies. Según expresó sir David Attenborough, «esta pequeña criatura va a enseñarnos nuestra conexión con el resto de los mamíferos».

El fósil, bautizado en honor a Darwin con el nombre de *Darwinius masillae*, de unos 53 centímetros de altura ha sido investigado en secreto durante los últimos dos años por un equipo internacional de expertos en fósiles dirigido por el profesor del Museo de Historia Natural de Noruega, Jorn Hurum.

Después de completarse su estudio fue trasladado a Nueva York bajo fuertes medidas de seguridad para ser revelado hoy al mundo durante el bicentenario del nacimiento de Darwin.

Los científicos consideran que Ida (aplastado hasta el grosor de un posavasos) es el fósil de primate más completo nunca encontrado. En concreto, Ida tiene en vez de **garras**, uñas como las de los seres humanos y sus **pulgares** opuestos, lo que la sitúa en el inicio de la raíz de la evolución humana cuando los primeros primates desarrollaron características que después les harían convertirse en lo que hoy es el hombre. Su análisis ha revelado que Ida se trataba de una hembra joven. Por sus manos y sus pies, y la disposición de los dedos, se sabe que era un primate. También se ha podido averiguar, por su tripa, que era un herbívoro que comía frutas, semillas y hojas. Cuando murió, Ida no tenía más de nueve meses. Además, el estudio revela que se había fracturado la **muñeca** y quizás esa lesión fue la que provocó su **muerte prematura**.

Asimismo, otro importante descubrimiento es la forma del hueso del **talón** de su pie, que los humanos tuvieron de la misma manera muchos años más tarde.

Ida fue desenterrada por un cazador de fósiles aficionado hace unos 25 años en Messel, un antiguo cráter volcánico cerca de Frankfurt (Alemania), famoso por la cantidad de fósiles. El coleccionista que la encontró la limpió y la colocó en una resina artificial y la mantuvo colgada durante 20 años en la pared de su casa.

Los investigadores han concluido que Ida no fue un simple lémur sino un mono-lémur, porque tiene características de ambos grupos y además se sitúa en la cercana línea hacia los humanos. «Cuando Darwin publicó *El origen de las especies* en 1859, dijo mucho sobre la evolución de las especies, pero también que él nunca encontró especies de transición, por lo que toda su teoría entera podría haber sido incorrecta, por lo que él estaría muy contento si viviera hoy cuando damos a conocer al mundo a Ida», concluyó el profesor Hurum.

(Texto extraído de: *http://www.abc.es*)

3 Elige la opción correcta.

1 El descubrimiento de Ida ha supuesto una importantísima revolución científica porque...
a es la primera vez que se encuentra un esqueleto de primate tan completo.
b es un fósil de 47 millones de años de antigüedad.
c es una prueba del vínculo entre el ser humano y otros mamíferos.

2 Algunas de las características que presenta Ida como sus manos, sus pies y la disposición de sus dedos...
a han ayudado a los investigadores a saber que era una hembra de nueve meses.
b revelan que pertenece al orden de los primates.
c manifiestan que era un mono-lémur herbívoro.

3 El descubridor de Ida, cuando encontró el fósil...
a lo llevó al Museo de Historia Natural de Noruega para que los científicos lo analizaran.
b lo mantuvo en su poder durante un largo periodo de tiempo.
c lo vendió a un coleccionista de fósiles, desconociendo su gran valor.

4 Según el profesor Hurum, Darwin se sentiría muy emocionado de...
a la existencia de este fósil.
b que el fósil haya sido bautizado con el nombre de *Darwinius masillae*.
c no haber encontrado una especie de transición.

5 Escribe.

Te proponemos dos temas sobre los que puedes escribir.

A Texto explicativo.
Imagina que la medicina avanza tanto que se encuentran medios suficientes para curar cualquier enfermedad y para evitar que las personas envejezcan. Expresa tu opinión sobre las ventajas e inconvenientes que crees que tendría vivir sin envejecer y sin enfermedades. ¿Te gustaría? ¿Por qué?

B Texto argumentativo.
Aquí tienes algunos ejemplos de las distintas ramas de la ciencia. Expresa tu opinión sobre la importancia que tiene alguna una de ellas y en cuáles se debe invertir más dinero para la investigación y en cuáles menos. Puedes hablar sobre otras ramas que te interesen. Dentro de cada una de las ramas, te damos algunos ejemplos para que te pongas en situación.

Medicina y salud: investigación para la cura de enfermedades, sistemas de ayuda para personas con problemas de movilidad, prevención de enfermedades, etc.

Ciencia de los materiales: descubrimiento de materiales más ligeros y resistentes, aislantes del calor, conductores de electricidad, etc.

Astronomía: investigación de las características de otros planetas y lunas, experimentos en el espacio, formación del universo, etc.

Matemáticas: técnicas de codificación para comunicaciones seguras a través de internet, métodos para realizar operaciones matemáticas más rápidamente, etc.

Biología: descubrimiento de nuevas especies, investigación del comportamiento animal, etc.

¿A qué dedicas el tiempo libre?

1. Contenidos gramaticales

1 **A Ya has aprendido las fórmulas para expresar deseo y duda. Pon los verbos en el tiempo y modo correctos.**

1 ● ¿Ya tienes pareja de baile?
  ▼ No, todavía no. He escrito un anuncio en un foro de baile. Ojalá (encontrar) _encuentre_ pareja, aunque sea por internet.
    ● ¿Y cómo (ser) _____? ¡Qué nervios! ¿No?

2 ● Ojalá Marco (ganar) _____ el premio de fotografía de la semana pasada, se lo merecía.
  ▼ Dile de mi parte que no (desanimarse) _____.

3 ● Estoy un poco triste porque el cactus no ha florecido todavía. ¿No lo (cuidar) _____ bien?
  ▼ No, mujer. Puede que no le (salir) _____ la flor porque hace semanas que no ve el sol con tanta lluvia.

4 ● Estamos organizando una excursión el sábado por el río Manzanares. ¿Te apuntas?
  ▼ (Encantar, a mí) _____, pero es que tengo una boda el sábado. Otra vez será. Que lo (pasar) _____ bien.

5 ● Vamos a cambiar la cocina de casa. A lo mejor la (comprar) _____ sin montar y yo me encargo de montarla.
  ▼ ¡Eres un manitas! Ojalá mi marido o yo (tener) _____ esa habilidad para montar y desmontar muebles.

6 ● Ojalá yo (tener) _____ tanta facilidad de joven para las lenguas como tú.
  ▼ La verdad es que se me dan bien. Ahora igual (empezar) _____ a estudiar chino.

7 ● Qué bonitos te están quedando. El blanco me encanta.
  ▼ Todo el mundo me pide que le haga uno para la feria. No estoy muy segura, pero tal vez (intentar) _____ venderlos.

Pintar abanicos ☐

Bailar salsa ☐

Aprender idiomas ☐

B ¿De qué aficiones crees que se trata en cada caso?

El piragüismo 4

La jardinería ☐

El bricolaje ☐

La fotografía ☐

2 A Lee esta conversación entre varios amigos que viven en Cádiz y elige la opción correcta en cada caso.

Leticia Estaba pensando que (1) *puede que/a lo mejor* podemos aprovechar este fin de semana para hacer algo, ya que el viernes no hay clases y lo tenemos libre.

Eduardo Buena idea, Leti. ¿Y tienes algo pensado?

Leticia (2) *Igual/Ojalá* no os gusta la idea..., pero ¿y si nos vamos a Marruecos? ¿Habéis estado en Chefchaouen?

Irene Yo no he estado y tengo muchísimas ganas de ir porque me han hablado muy bien del sitio. Además, (3) *que/puede que* no nos salga muy caro llevarnos el coche.

Eduardo (4) *Tal vez/Puede que* podríamos coger el barco en Algeciras el jueves por la tarde, si sale alguno, claro. Y luego en Ceuta tendríamos que pasar la frontera.

Leticia Ese sería el plan. He mirado que de Ceuta a Chefchaouen hay una hora y media en coche más o menos. (5) *¡Ojalá/Que* haya algún barco el jueves por la tarde! Sería perfecto porque así podríamos aprovechar todo el viernes.

Eduardo Muy importante, ¿tenéis los pasaportes en vigor?

Irene ¡Uf! Pues yo (6) *a lo mejor/ojalá* lo tengo caducado.

Leticia Irene, pues eso es importante que lo mires. Se lo tenemos que decir también a Miguel y a Mónica.

Eduardo Ya me estoy imaginando: paseando entre las casas pintadas de azul, comiendo *cuscús* y *pinchitos*, bebiendo té... (7) *Ojalá/tal vez* salgan bien los planes.

Leticia A mí eso de *regatear* en las tiendas me encanta, y me han dicho que se pueden comprar complementos de plata a buen precio.

Irene ¡Vaya! Ahora me acuerdo de que les dije a mis abuelos que (8) *igual/puede ser que* iba a verlos al pueblo este fin de semana. Yo creo que no voy a poder ir.

Eduardo Venga, Irene, *no te rajes*, ¿te vas a perder el viaje?

Irene ¿Y qué hago? Voy a hablar con ellos a ver qué me dicen, pero no prometo nada. Además, no sé si el pasaporte...

Leticia Bueno, (9) *esté donde esté/pase lo que pase*, al menos inténtalo. Seguro que tus abuelos lo entienden perfectamente.

Eduardo Voy a llamar a Miguel y a Mónica para contárselo.

Leticia Pues yo voy a mirar cosas de Chefchaouen en internet. Por cierto, hay unos baños tradicionales y son baratos. Hay uno para mujeres y otro para hombres. (10) *Ojalá/ Quizá* podríamos ir.

(Unos minutos después)

Eduardo Miguel y Mónica dicen que contemos con ellos (11) *sea cual sea/fuera quien fuera* el plan. ¡Ah! y dicen que (12) *igual/puede que* Isabel también se apunte.

Leticia Perfecto.

Irene Pues, ya sabéis, conmigo no contéis en principio. Si hay algún cambio os aviso.

Eduardo Vale, ya nos dices algo.

Para aclarar las cosas

Cuscús: *comida típica* *Marruecos hecha con g nos de sémola (trigo), s verduras, a veces tamb pollo o cordero.*
Rajarse: *no hacer algo en principio te habías prometido a hacer.*
Contar con alguien par algo: *tener en cuenta o cluir a alguien para h algo.*
Pinchito: *brocheta elab da con trozos de carne*
Regatear: *debatir el pr de un producto que es venta.*

B Ahora escucha la conversación y comprueba tus respuestas. ⁱ⁸

3 **Reflexiona y contesta.**

A **¿Qué te parece la forma que tiene Irene de rechazar el plan de sus amigos? ¿Te parece correcta? ¿Por qué?**

¡Vaya! Ahora me acuerdo de que les dije a mis abuelos que igual iba a verlos al pueblo ese fin de semana. Yo creo que no voy a poder ir.

Aquí tienes otras formas de rechazar o aceptar un plan. Di cuáles no usarías tú y justifica tu respuesta.

> *No me apetece nada irme el fin de semana con vosotros.*

> *Contad conmigo, sea cual sea el plan.*

> *Lo siento, no voy a ir. La verdad es que prefiero ir a ver a mis abuelos.*

> *Voy a intentar ir, pase lo que pase.*

> *¡Qué pena! Me encantaría ir pero les prometí a mis abuelos que iría a verlos.*

B **Completa las frases con la opción correcta. Luego, marca con una cruz si las oraciones reduplicadas muestran ignorancia o refuerzan lo afirmado.**

a ...van a criticarte.	**c** ...voy a respetarla.
b ...aquí tienes un amigo.	**d** ...vamos a ganar.

	Refuerza lo afirmado	Muestra ignorancia
1 ● No sé qué hacer. ¿Qué van a decir los demás? Seguro que van a empezar a hablar mal. ▼ Tú sabes perfectamente, que hagas lo que hagas, ___		
2 ● ¿Con quién jugamos el próximo partido? ▼ Sea quien sea el rival, ___		
3 ● ¿Seguro que no te vas a enfadar si te digo cuál es mi opinión? ▼ Mira, sea cual sea tu opinión, ___		
4 ● Gracias por apoyarme siempre en todo. ▼ Pase lo pase, ___		

C **¿En qué casos crees que es posible que se cumpla el deseo? ¿Por qué?**

> **1** Ojalá hubiera venido Juan, con él no hay quien se aburra.
> **2** [Una mujer embarazada] Ojalá sea niño.
> **3** Ojalá cumpliera 20 años como tú.
> **4** Ojalá me hayan pagado ya.

Ahora, expresa un deseo que se pueda cumplir y otro que no.

_____

_____

2. Contenidos léxicos

1 A Piensa en una actividad que realizas o que te gustaría realizar en tu tiempo libre.
A continuación, escribe todas las palabras que puedas relacionar con esa actividad y explica las que sean más complicadas.

B Aquí te proponemos un par de ejemplos. ¿Sabes de qué actividades se trata?

Actividad 1
Gafas oscuras.
Botas.
Ropa cómoda y preparada para el frío.
Filtro solar: sirve para proteger la piel.
Bastones: sirven para ayudar en el desplazamiento.
Fijaciones: sirven para sujetar las botas.

Actividad 2
Zapatillas cómodas.
Toalla.
Calcetines.
Muñequera: banda que se pone alrededor de la muñeca para sujetarla o protegerla.
Gorra o visera. Una visera tiene la misma función que una gorra pero se sujeta a la cabeza por una cinta.
Raqueta.
Pelota.

C Escribe un diálogo entre dos amigos/as que han quedado para practicar la actividad que has elegido. Usa algunas de las palabras de tu lista.

_____

_____

_____

_____

_____

3. De todo un poco

1 Interactúa.

Comenta con tus compañeros/as los siguientes temas.

A Tomar el sol, una afición de muchos.

> Tomar el sol es una de las actividades que muchas personas realizan en su tiempo libre, pero no siempre ha sido así. En la antigüedad, la gente se blanqueaba la piel con productos que hoy se sabe que son tóxicos. Por ejemplo, en el año 400 antes de nuestra era, los griegos se blanqueaban la piel del rostro con polvos hechos de carbonato de plomo. En el siglo XVI, algunas italianas utilizaban arsénico para dar a su rostro un aspecto translúcido. Muchas civilizaciones durante siglos han asociado la piel blanca con la juventud, la pureza, la riqueza y el estatus social; y la piel bronceada con el trabajo y la pobreza. Pero desde que la diseñadora francesa Coco Chanel popularizó la moda del bronceado a principios de la década de 1920, esta se ha generalizado bastante. Mucha gente pasa horas enteras tomando el sol.

Tu actitud respecto al sol.

¿Te gusta pasear al sol o a la sombra?

¿Prefieres tomar algo en una terraza al sol o bajo una sombrilla?

Si sales a la calle y hace sol, ¿usas crema protectora, gorra o sombrero?

¿Te gusta ir a la playa? ¿Te gusta ir a tomar el sol o prefieres hacer otras actividades en la playa: bañarte, jugar a las palas, etc.?

¿En tu país también hay mucha gente que dedica su tiempo libre a tomar el sol? ¿Cuál es su actitud con respecto al sol? ¿Es distinta en hombres y mujeres?

¿Qué crees que tiene más riesgos, intentar por todos los medios tener una piel morena o una piel clara?

Para aclarar las cosas
Pala: *tabla de madera fuerte, con mango, que se usa para jugar a la pelota.*

B Algunas aficiones españolas.

Aquí te presentamos algunas aficiones o actividades que los españoles realizan en su tiempo libre. Explica si en tu país la gente también practica estas actividades u otras parecidas.

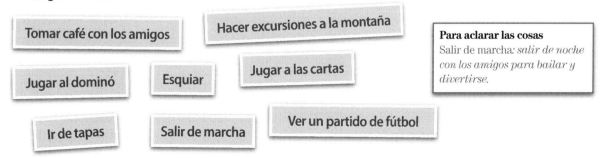

Tomar café con los amigos

Hacer excursiones a la montaña

Para aclarar las cosas
Salir de marcha: *salir de noche con los amigos para bailar y divertirse.*

Jugar al dominó

Esquiar

Jugar a las cartas

Ir de tapas

Salir de marcha

Ver un partido de fútbol

2 **Habla.**

Elige una de estas dos opciones.

A **Historieta.**

Observa este fragmento de una historieta de Quino y busca en el diccionario las palabras que no sepas.

a Describe y narra lo que ves.

b Expresa tu opinión sobre las dos aficiones que se muestran en las viñetas.

Quino©

B **Quedadas por internet.**

«Se busca gente para salir», esta es la idea de una fórmula de cita a ciegas que sigue funcionando. Es una forma de no quedarse en casa y citarse con gente para bailar, cenar o salir al campo. Esta iniciativa ha aumentado con el auge de las redes sociales. El compartir mesa y mantel es solo uno de los ejemplos de los planes que se pueden lograr a través de las redes sociales.

Para aclarar las cosas
Quedadas: es la acción de quedar o concertar una cita con alguien para hacer algo.

a ¿Qué opinas de hacer quedadas por internet para hacer cosas en tu tiempo libre?

b ¿Te parece una buena fórmula si quieres salir de casa y no tienes con quién?

c ¿Qué tipo de planes crees que se pueden hacer a través de internet?

d Piensa en algo que te gustaría hacer y que no haces normalmente con tus amigos.

3 **Escucha.**

A **Aikido.** 🔊 ᴵ⁾ 19

1 Nuestra reportera de Onda Meridional se encuentra en Madrid en la puerta de una clase de aikido, donde va a hablar con dos personas que lo practican en su tiempo libre. El aikido es un arte marcial. ¿Qué otras artes marciales conocéis? Coméntalo con tus compañeros/as.

Para aclarar las cosas
Arte: es un sustantivo femenino; en plural siempre se construye en femenino: las artes, estas artes. Sin embargo, cuando se usa en singular debe llevar el artículo en masculino: el arte.

2 Di si son verdaderas (V) o falsas (F) estas afirmaciones de acuerdo con la audición.

	V	F
1 Uno de los entrevistados prefiere las clases de baile a las de aikido.		
2 Uno de los entrevistados empezó el aikido porque le gustaban mucho las películas de Steven Seagal.		
3 Otro de los entrevistados empezó el aikido porque tuvo una crisis amorosa con su pareja.		
4 Los dos entrevistados están de acuerdo en que el aikido es una filosofía de vida.		
5 Para practicar el aikido es muy importante ser muy fuerte físicamente.		
6 Una de las características del aikido es que es un arte marcial de defensa.		
7 Los entrevistados afirman que el aikido aporta paz interior y te ayuda a ser mejor persona.		
8 Una ventaja del aikido es que los principiantes avanzan muy rápido.		
9 En el aikido se trabaja por igual la fuerza en brazos y piernas.		

3 Aquí tienes algunas frases de la entrevista. Sustituye la parte en negrita por un sinónimo del recuadro.

1 Te ayuda a **progresar** como persona. _____

2 Tiene **los beneficios** de cualquier otro tipo de deporte. _____

3 Te sientes mejor, más **vital**. _____

4 Voy a preguntarle a tu compañera antes de que **se escape**. _____

5 En muchos cursos que **se imparten** para la defensa personal de mujeres, muchas de las técnicas proceden del aikido. _____

6 Está pensado para que sirva ante cualquier tipo de **oponente** por muy fuerte que sea físicamente. _____

> se dan
> adversario
> mejorar
> se marche
> las ventajas
> fuerte

4 Ahora que sabes más sobre el aikido, ¿te gustaría practicarlo? Justifica tu respuesta.

_____

_____

_____

_____

_____

_____

_____

_____ .

B Entrevista.

1 Escucha la entrevista a José Olalla, voluntario de 27 años, que se fue a Ramón Santana, un pueblecito en República Dominicana, para colaborar en proyectos de cooperación. Antes de escuchar, averiguad a través de internet a qué se dedica la asociación JustAlegría y poned en común vuestros descubrimientos.

http://justalegria.org

2 Escucha la audición y contesta a las preguntas.

> **1** ¿Por qué José Olalla se fue de voluntario a República Dominicana?
> **2** ¿Qué inconvenientes había en el hecho de que José se marchara de España?
> **3** ¿En qué consistía el proyecto al que se dedicó? ¿Cómo se sintió con los resultados?
> **4** ¿Por qué crees que le sorprendió que en el pueblo pasearan a una vaca? ¿Qué otras diferencias señala con respecto a su vida en España?
> **5** ¿Qué recomendación final hace José Olalla?

3 Vuelve a escuchar la audición, y elige el significado adecuado en cada caso según lo que has escuchado.

1 Agujero.	**a** Abertura.	**b** Deuda.
2 Higiene.	**a** Mantenimiento.	**b** Limpieza.
3 Llamar la atención algo.	**a** Atender algo.	**b** Sorprender.
4 Gratitud.	**a** Agradecimiento.	**b** Lealtad.
5 Agua corriente.	**a** Agua potable.	**b** Agua que sale del grifo.

4 Después de escuchar la audición. Cuéntales a tus compañeros/as si has vivido alguna experiencia como voluntario/a o si te gustaría vivirla. Explica todos los detalles.

4 **Lee.**

1 Vamos a imaginar que quieres hacer deporte, así que has entrado en una página *web* de un gimnasio y estás analizando las clases que puedes recibir. Tienes una amplia variedad para informarte.

Antes de leer, aquí tienes algunos verbos relacionados con el entrenamiento. Únelos con su significado.

1 Definir.	**a** Endurecer y dar fuerza.
2 Ponerse en forma.	**b** Marcar.
3 Quemar calorías.	**c** Conseguir una buena condición física.
4 Elevar la autoestima.	**d** Reforzar la consideración de uno mismo.
5 Tonificar	**e** Hacer ejercicio para gastar energía (para perder peso, por ejemplo)

Centro de deportes Músculos

Body pump

El *body pump* fortalece, mejora y define la musculatura de todo el cuerpo a través de técnicas de musculación y ejercicios que determinan una mejora en la postura corporal. Rápidos resultados en corto tiempo. Con *body pump* entrenas la fuerza y la resistencia muscular y te pones en forma de una manera divertida y diferente. Las clases están coreografiadas y cada grupo muscular es trabajado al ritmo de temas musicales. Son ejercicios sencillos dirigidos a todo tipo de personas con ganas de trabajar duro y pasárselo bien.

Gimnasia de mantenimiento

Con la gimnasia de mantenimiento tratamos de conservar el cuerpo en forma, en todos sus aspectos. El objetivo es mantener una constitución flexible, ágil, potente, con una educación postural correcta, conociendo y pudiendo controlar el trabajo realizado por el cuerpo.

Son sencillos ejercicios para potenciar la fuerza, flexibilidad y resistencia evitando lesiones y disminuyendo los efectos en caso de padecer alguna.

Va dirigido tanto a hombres como a mujeres.

Pilates

Es un sistema de entrenamiento físico y mental creado a principios del siglo xx por el alemán Joseph Hubertus Pilates, quien lo ideó basándose en su conocimiento de distintas especialidades como gimnasia, traumatología, ballet o yoga, uniendo el dinamismo y la fuerza muscular con el control mental, la respiración y la relajación.

El método se centra en el desarrollo de los músculos internos para mantener el equilibrio corporal y dar estabilidad y firmeza a la columna vertebral, por lo que es muy usado como terapia en rehabilitación y para prevenir y curar el dolor de espalda, por ejemplo.

Kick boxing

El kick boxing es una modalidad deportiva en la que se mezclan las técnicas de lucha o combate del boxeo con las de algunas artes marciales como el karate. Es similar al *full contact*, pero en vez de golpear de cintura para arriba, también se permiten golpes sobre los muslos. Con su práctica:

- Quemas calorías y defines tus músculos.
- Incrementas tu fuerza y tu resistencia cardiopulmonar.
- Aumentas tu coordinación y velocidad de reacción.
- Aprendes una técnica efectiva de autodefensa.
- Elevas tu autoestima.

Está indicado para todas las personas a partir de 16 años.

Spinning o cycle

Se utiliza una bicicleta estática pero con un diseño más deportivo. Ayuda a mejorar tu capacidad de resistencia. Acompañados de la música más motivante, realizaremos los mismos ejercicios que se realizan encima de una bicicleta de calle, subiremos montañas, recorreremos grandes carreteras y realizaremos algún que otro tramo rápido, y todo ello sin salir de la sala.

Step

Es la mejor manera de quemar calorías al mismo tiempo que se tonifican las piernas y los glúteos.

El *step* se realiza sobre una plataforma antideslizante de altura regulable llamada *step*, con la que se pueden hacer distintos trabajos al ritmo de la música. Es un entrenamiento intenso que ayuda a desarrollar la capacidad aeróbica, la fuerza y la coordinación.

2 Te presentamos algunos de los resultados que puedes lograr realizando actividades físicas. En grupos, pensad qué deportes o ejercicios son buenos para conseguir estas capacidades físicas.

- Fuerza
- Resistencia
- Constitución flexible, ágil y potente
- Educación postural correcta
- Flexibilidad

- Estabilidad
- Firmeza de la columna vertebral
- Coordinación
- Velocidad de reacción
- Capacidad aeróbica

3 Busca las palabras en el texto de la misma familia léxica que *músculo*.

_____, _____, _____.

4 Di qué sustantivos corresponden a estos adjetivos.

1 Corporal _____
2 Muscular _____
3 Postural _____

4 Mental _____
5 Vertebral _____

5 ¿Qué significan estas palabras? Elige la opción correcta.

1 Estar coreografiado/a.
  a Tener un coro.
  b Tener danza o baile.

2 Muslo.
  a Parte de la pierna, desde la cadera hasta la rodilla.
  b Parte del brazo, desde el codo hasta la muñeca.

3 Bicicleta estática.
  a Bicicleta fija.
  b Bicicleta de montaña.

4 Glúteos.
  a Músculos de las nalgas.
  b Músculos de los brazos.

5 Motivante.
  a Que desanima.
  b Que estimula.

6 Plataforma antideslizante.
  a Tabla flexible.
  b Especie de escalón independiente que no resbala.

6 Vuelve a leer el texto e intenta contestar a las preguntas usando tu memoria y tu intuición.

Según el texto, ¿en qué actividad o actividades...

1 ...se usa música en las clases? _____
2 ...se usa una bici? _____
3 ...te relajas más? _____
4 ...se definen más los músculos? _____
5 ...te enseñan a defenderte? _____
6 ...te ayudan a ser más flexible? _____
7 ...se previenen los dolores físicos o lesiones? _____

7 Busca en la página *web* de un gimnasio de tu país para comprobar si ofertan el mismo tipo de clases. ¿Qué diferencias aprecias?

5 Escribe.

Vas a escribir un correo electrónico. Elige la opción que más te interese.

A Ya tienes toda la información sobre las clases de un gimnasio en España. Elige la opción que más te guste y escribe un correo al gimnasio. Tienes que preguntar el precio, el horario, cuántos días a la semana, y también te gustaría saber si vas a tener algún problema con el idioma y si hay ofertas para estudiantes, u otro tipo de oferta cualquiera.
Este es el correo del gimnasio: musuculosdeportes@gimil.com

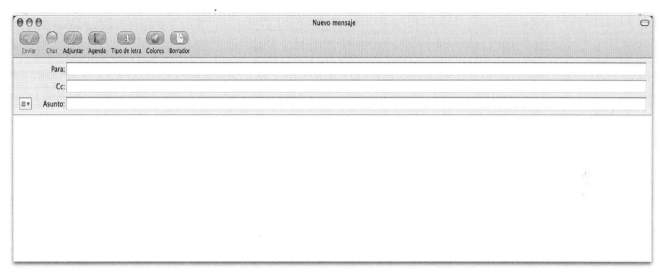

B Has decidido dedicar tu tiempo libre en España a ayudar a otros. En un periódico has encontrado este anuncio de la fundación Cudeca. Escríbeles un correo explicándoles que estás muy interesado en colaborar con ellos. Diles también qué área te interesa más, cuánto tiempo puedes dedicarle, si tienes algún tipo de experiencia en voluntariado. Pregúntales qué actividades puedes realizar como voluntario, y dónde las realizarías, etc.

Los voluntarios de Cudeca forman parte de un grupo de personas comprometidas y sensibilizadas con la misión de los cuidados paliativos, esto es, ofrecer calidad de vida a enfermos de cáncer en fase terminal y apoyar a sus familiares durante la enfermedad y después de esta. Para ello, los voluntarios colaboran en diferentes programas: tiendas benéficas, comunicación y captación de fondos, transporte de enfermos, apoyo en el centro y otras instalaciones, etc.

www.cudeca.org/es

Un viaje alrededor de los sentidos

12

1. Contenidos gramaticales

1 Una de las fiestas españolas donde más aparecen reflejados todos los sentidos es la Semana Santa. Lee el siguiente texto y elige la opción correcta.

La Semana Santa (1) _se ha convertido en_ una de las fiestas españolas más conocidas en el extranjero (2) _____ un atractivo turístico de primer nivel.

La vista

La ciudad cambia de aspecto y se prepara para la llegada de las *procesiones*. La gente (3) _____ guapa para salir a la calle. Los Cristos y las Vírgenes son los protagonistas principales junto con el colorido de los *pasos*, adornados con flores. La gente que no está acostumbrada a esta fiesta (4) _____ sorprendida ante tal espectáculo visual.

El oído

Las bandas de música acompañan a los *pasos*. Se oyen las trompetas, los tambores, los platillos. Normalmente siempre está presente el murmullo de la gente, pero en algunas procesiones más solemnes la gente (5) _____ callada, la banda deja de tocar y, entonces, solo hay silencio.

El olfato

El olor a *incienso* es el más característico de la Semana Santa. A veces incluso puede (6) _____ un poco molesto. Pero hay otros olores como el de las flores o el de la comida que se vende en las calles. Cuando llega la noche, se encienden las velas y el ambiente se perfuma de cera.

El tacto

El tacto se siente más cuando vives la Semana Santa desde dentro. Muchas personas (7) _____ *cofrades* y participan en una procesión, visten las *túnicas* de terciopelo y los guantes de seda.

Algunas procesiones (8) _____ muy populares y es sorprendente la cantidad de personas que se juntan en los momentos importantes.

El sabor

El último de los sentidos también está bien representado, pues en todas las panaderías hay torrijas, que son unos dulces que (9) _____ el más típico de estas fiestas. Las torrijas están hechas de pan mojado en leche y frito en aceite, acompañado de diversos ingredientes como azúcar, canela o miel.

En general todos disfrutan de estas fiestas y si llueve y las procesiones no salen, la gente (10) _____ triste. Algunos la viven desde un profundo sentimiento religioso y otros como un espectáculo cultural.

1 **a** se ha convertido en	**b** se ha vuelto	**c** se ha puesto
2 **a** poniéndose	**b** llegando a ser	**c** quedándose
3 **a** se pone	**b** llega a ser	**c** se queda
4 **a** se vuelve	**b** se pone	**c** se queda
5 **a** se queda	**b** se convierte en	**c** se pone
6 **a** ponerse	**b** quedarse	**c** volverse
7 **a** se quedan	**b** se hacen	**c** se ponen
8 **a** se han quedado	**b** se han puesto	**c** se han hecho
9 **a** se han quedado	**b** se han convertido en	**c** se han puesto
10 **a** se pone	**b** se convierte en	**c** se hace

Si quieres escuchar y ver la Semana Santa, escribe *Semana Santa* en tu buscador de vídeos.

Para aclarar las cosas

Procesión: *desfile religioso de personas que realizan un recorrido.*

Paso: *es un armazón, generalmente de madera, donde se transportan las imágenes. En algunos lugares se llaman tronos.*

Incienso: *mezcla de resinas aromáticas que al arder desprenden buen olor.*

Cofrade: *miembro de una cofradía. Una cofradía es una asociación de fieles católicos que rinden culto a un Cristo o una Virgen.*

Túnica: *prenda de vestir amplia y larga, con mangas, que cubre desde el cuello hasta las piernas.*

---

2 **A Lee el siguiente texto sobre la sinestesia y elige la opción correcta en cada caso.**

¿Qué es la sinestesia?

Hay (1) *Ø/las* personas que tienen (2) *una/Ø* extraña condición llamada sinestesia. (3) *La/Una* sinestesia consiste en (4) *Ø/una* interferencia de varios tipos de sensaciones de diferentes sentidos en un mismo acto perceptivo. Es decir, lo percibido por algún sentido se mezcla con otro, generando sensaciones de estar escuchando olores, viendo sabores, oliendo formas, etc.

(5) *La/Ø* sinestesia se manifiesta de muchas maneras diferentes, de hecho, (6) *la/una* forma más común de sinestesia es aquella en que (7) *las/unas* letras y (8) *los/unos* números evocan (9) *Ø/unos* colores. La sinestesia es una extraña condición difícil de entender para quienes no la experimentan.
Según Peter Grossenbacher, (10) *un/el* investigador de este campo, «tendemos a suponer que (11) *la/Ø* realidad es igual para todos. (12) *La/Ø* sinestesia nos muestra que (13) *unas/las* personas que nos

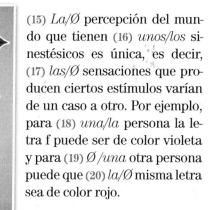

rodean pueden tener (14) *una/la* experiencia diferente del mundo».

(15) *La/Ø* percepción del mundo que tienen (16) *unos/los* sinestésicos es única, es decir, (17) *las/Ø* sensaciones que producen ciertos estímulos varían de un caso a otro. Por ejemplo, para (18) *una/la* persona la letra f puede ser de color violeta y para (19) *Ø/una* otra persona puede que (20) *la/Ø* misma letra sea de color rojo.

(21) *Los/Ø* sinestésicos nacen con esta condición y la conservan tal cual toda (22) *Ø/la* vida. Se ha observado que hay (23) *Ø/las* familias en las cuales más de uno de sus miembros presenta (24) *Ø/una* sinestesia, lo cual hace pensar que esta condición puede ser de (25) *Ø/un* origen genético.

(Texto adaptado de: *http://romano.in/la-sinestesia/*)

B ¿Conoces a alguien que sea sinestésico? Coméntalo en grupo.

3 **A** **Comer a ciegas se ha puesto de moda. Algunos restaurantes sirven sus platos a oscuras o les ponen antifaces a sus comensales para que los sentidos se agudicen. Lee la opinión de estas personas y usa las palabras de los recuadros para completar los espacios.**

| ~~si~~ • para que • aunque • que • cuando • sea cual sea • si • porque • así que |

INICIO | SUSCRIBE: POST | COMENTARIOS

- A mí no me importaría probar. (1) _Si_ abren un restaurante en mi ciudad de comidas a ciegas, voy a ir. Lo tengo claro, (2) _____ reconozco que la comida me entra por los ojos, y eso de no saber qué es lo que me estoy llevando a la boca me provoca cierto temor. Me gusta que me sorprendan, así que (3) _____ el resultado, yo soy de las personas que opinan que hay que experimentarlo todo.

- Yo creo que a mí no me gustaría la experiencia (4) _____ yo prefiero saber dónde está el entrecot y pincharlo fuertemente (5) _____ no se me escape. (6) _____ llevas los ojos vendados, ¿cómo sabes dónde está el plato?

- Pues mi pareja y yo estuvimos comiendo a ciegas y a nosotros nos encantó la experiencia, (7) _____ se la recomendamos a todo el mundo. No tengáis miedo de no saber dónde está el plato. (8) _____ llegas al restaurante hay un guía que te ayuda a localizar tus cubiertos, la servilleta y todo lo que necesitas. Merece la pena probarlo. ¡(9) _____ aproveche!

| es cierto que • ojalá • a no ser que • en cuanto • para • a pesar de que • por • a lo mejor • por muy • puede que |

INICIO | SUSCRIBE: POST | COMENTARIOS

- Gracias (10) _____ tu recomendación. Mis amigos y yo (11) _____ nos animamos y vamos a un hotel de nuestro pueblo que va a servir un menú degustación a ciegas este fin de semana. (12) _____ pueda volveré a escribir y os cuento cómo nos ha ido. (13) _____ salga bien porque la idea es mía. ☺

- Creo que la vista es fundamental, y la presentación de la comida es importante. (14) _____ en algunas ocasiones un plato tiene muy buena presentación, luego no me gusta. (15) _____ sea una experiencia muy agradable (16) _____ algunas personas, pero a mí no me atrae este tipo de comidas.

- He leído vuestras opiniones y (17) _____ positivas que sean algunas, yo tengo bastantes prejuicios al respecto. Creo que, de momento, no voy a probar (18) _____ me convenzan con buenos argumentos. (19) _____ se potencian los sentidos del olfato y el gusto, pero comer a ciegas también tiene sus desventajas, a mí me agobiaría un poco.

B **Ahora danos tu opinión al respecto. ¿Te gustaría probar esta experiencia? ¿Por qué?**

2. Contenidos léxicos

1 Prepara una encuesta con tres posibles respuestas sobre alguno de estos sentidos: oído, vista o gusto. Pueden servirte de ejemplo las encuestas que aparecen en la sección *Interactúa* de la página 114. Puedes usar el vocabulario que has aprendido a lo largo de esta unidad. Luego haz la encuesta a algunos de tus compañeros/as.

Aquí tienes algunos ejemplos.

1 ¿Qué tipo de comida prefieres?	2 ¿Dónde prefieres escuchar música?
a Muy picante.	**a** En una discoteca.
b Sabrosa y con salsas.	**b** En el coche.
c Con poca sal.	**c** En tu casa.

1 _____

   a _____
   b _____
   c _____

2 _____

   a _____
   b _____
   c _____

3 _____

   a _____
   b _____
   c _____

4 _____

   a _____
   b _____
   c _____

5 _____

   a _____
   b _____
   c _____

6 _____

   a _____
   b _____
   c _____

1 Interactúa.

Un estudio revela que los sentidos más olvidados entre los españoles son el tacto y el olfato. En parejas, vais a hacer unas encuestas sobre estos sentidos para conocer un poco más a un/a compañero/a de clase. Luego, señala las respuestas de tu compañero/a que más te han sorprendido.

EL TACTO

1 ¿Cómo te gustan los masajes?
a Suaves y delicados.
b Un poco pringosos con aceites y cremas.
c Con piedras calientes.

2 ¿De qué alimento te gusta menos la textura? ¿Por qué?
a Un tomate.
b Una piña.
c Una pera.

3 ¿Qué fruta prefieres pelar? ¿Por qué?
a Un mango.
b Una manzana.
c Una naranja.

4 ¿A qué eres más sensible?
a A una sopa muy caliente.
b A un helado muy frío.
c A una carne muy dura.

5 ¿Qué prefieres tocar?
a Una piel suave como la de un bebé.
b Un mármol duro, liso y frío.
c Una pelota blanda que puedes apretar para relajarte.

6 ¿Qué odias más?
a Secarte con una toalla áspera.
b Dormir con una manta antigua y rígida.
c Ponerte un jersey que pica.

7 Si tienes que cogerle la mano a alguien lo que menos te gusta es que...
a tenga la mano sudada.
b te apriete mucho.
c tenga la piel áspera y rugosa.

EL OLFATO

1 Prefieres el olor de...
a una pescadería.
b una panadería.
c una tienda de jabones.

2 Si entras a un restaurante, lo que más te molesta es que huela a...
a ambientador.
b frito.
c incienso.

3 Te has ido a vivir a una casa que tiene un olor un poco desagradable, ¿qué haces para eliminarlo?
a Echar lejía.
b Echar muchos productos de limpieza.
c Perfumar la casa.

4 No soportas...
a ir en el ascensor con alguien que se ha echado un perfume muy fuerte.
b entrar a un baño que huele a tabaco.
c hablar con alguien que ha comido ajo.

5 Te gustan los perfumes...
a muy olorosos que llaman la atención.
b suaves que pasan desapercibidos.
c frescos que huelen a flores y a plantas aromáticas.

6 ¿Qué olor aguantas menos?
a El de las tuberías.
b El de la leche agria.
c El del huevo podrido.

7 ¿Te gusta alguno de estos olores?
a Olor a gasolina.
b Olor a coche nuevo.
c Olor a vino.

2 **Habla.**

Elige uno de estos dos temas y prepara una presentación de aproximadamente cinco minutos.

A Busca información de un país de Hispanoamérica y relaciónala con los sentidos. Puedes hablar de la música, la comida, los lugares más bonitos para visitar...

B «El sentido más importante del ser humano es la vista». ¿Estás de acuerdo con esta afirmación? ¿Por qué?

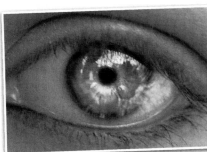 

3 **Escucha.**)²¹

1 En muchas ocasiones los anuncios usan todos los sentidos para hacer más atrayentes sus productos.
   Antes de escuchar esta cuña (anuncio en la radio), relaciona estas experiencias con uno de los sentidos: tacto, gusto, olfato, vista y oído.

1 Paisaje idílico	_____	**5** Aromas de jazmín	_____
2 Jazz de fondo	_____	**6** Iluminación sensual	_____
3 Sabores modernos	_____	**7** Un beso	_____
4 Una caricia	_____	**8** La brisa marina	_____

2 Escucha el anuncio y di a qué se refieren las siguientes palabras según el contexto en el que han aparecido.

1 Rincón	**a** Un lugar	**b** Una esquina	**c** Una cueva
2 Velada	**a** Fiesta musical	**b** Reunión nocturna	**c** Vela
3 Deleitar	**a** Probar	**b** Agradar	**c** Sentir
4 Caricia	**a** Gesto cariñoso	**b** Abrazo	**c** Saludo
5 Chiringuito	**a** Bar de tapas	**b** Restaurante en la playa	**c** Bar de copas

3 Señala si son verdaderas (V) o falsas (F) estas informaciones sobre el anuncio.

	V	F
1 El chiringuito Bahía de Tanit está pensado para gente joven que quiere bailar música *house*.		
2 En Bahía de Tanit solo sirven comida tradicional.		
3 En Bahía de Tanit podrás disfrutar del olor del mar.		
4 El chiringuito Bahía de Tanit está diseñado para crear una atmósfera agradable que podrás compartir con una persona importante.		
5 Bahía de Tanit está situado en una playa muy turística.		
6 Bahía de Tanit prepara espectáculos infantiles todas las noches.		

4 Lee.

1 Antes de leer, en parejas comentad qué colores os parecen más agresivos y más llamativos y cuáles pueden aportaros más tranquilidad y serenidad. Luego asociad un adjetivo o un sustantivo a estos colores y comparad vuestras respuestas.

1 Blanco	*limpio, paz*	**5** Negro	_____
2 Verde	_____	**6** Rojo	_____
3 Azul	_____	**7** Naranja	_____
4 Rosa	_____	**8** Amarillo	_____

2 Durante la lectura, relaciona estos significados con las palabras marcadas en negrita.

1 Velocidad del latido del corazón. _____
2 Preferencia. _____
3 Posición que una persona ocupa en la sociedad. _____
4 Color rojo con tonos violetas. _____

3 Después de leer. Intenta elegir la opción correcta sin volver a consultar el texto.

1 Los perros, los toros y los gatos ven en dos colores: _____
a negro y blanco.
b verde y azul.
c rojo y verde.

2 _____ asociaban los colores a la posición social de un grupo.
a Los chinos
b Los romanos
c Los egipcios

3 El color _____ es uno de los colores que dan la sensación de distanciamiento.
a amarillo
b blanco
c azul

4 Uno de los colores que aumenta el ritmo cardiaco es el _____.
a rojo
b violeta
c negro

5 Cuando estamos cansados y llevamos muchas horas despiertos el color gris se percibe como _____.
a azulado.
b amarillento.
c rosado.

El color: curiosidades científicas

¿Los mamíferos ven los mismos colores?

Los mamíferos marinos como los delfines, las ballenas o las focas ven en blanco y negro. Los ojos de la mayoría de los mamíferos terrestres como los perros, los gatos, o los toros solo son sensibles a los azules y a los verdes, por tanto no pueden distinguir el color rojo. El rojo lo ven como una versión más oscura del verde. Los humanos, los chimpancés y los gorilas vemos más colores que el resto porque nuestra visión percibe los azules, rojos y verdes.

La historia en colores

En la prehistoria se usaban sobre todo los colores rojo y negro. Más tarde se empezaron a utilizar colores de origen vegetal como el marrón, el naranja, el blanco, el verde y el amarillo. Los egipcios tenían **predilección** por los colores de origen mineral como el verde o el rojo. Los primeros en relacionar color y **estatus** fueron los romanos. El emperador era el único que podía usar el color **púrpura**. Hasta el siglo xx en China nadie podía vestir de amarillo, excepto el emperador.

¿Cómo nos afectan los colores?

Colores como el rojo y, en menor medida, el amarillo aumentan el **ritmo cardiaco** y, aceleran la respiración. Por eso el rojo y el amarillo son colores agresivos, buenos para llamar la atención.

Los colores fríos como el azul, el verde y el violeta dan sensación de tranquilidad, seriedad y distanciamiento. Estos efectos son temporales, tras la reacción inicial, el cuerpo vuelve a su estado habitual.

(Texto adaptado de: *http://www.dailymotion.com/*)

¿Vemos siempre igual los colores?

El cansancio afecta a la percepción del color. A medida que avanza el día percibimos el gris como ligeramente verdoso o rosado en función de la persona y su estado de ánimo. Después de dormir y descansar vemos los colores como son. También influye la cultura o el entorno en el que vivimos. Los esquimales, por ejemplo, distinguen más tipos de blanco que otras culturas.

4 Piensa en alguna curiosidad sobre algún color relacionada con tu cultura o con tus viajes a otros países. Coméntalo con tus compañeros.

5 Escribe.

Elige la opción que más te guste y escribe un texto de 150-200 palabras.

A Todavía no hemos hablado del sentido del oído. Escribe tu opinión con respecto a la contaminación acústica en las ciudades y compáralo con la tranquilidad del campo.

Napoleón decía: «La música es el menos molesto de los ruidos». ¿Qué opinas sobre esta idea?

_____
_____
_____
_____
_____
_____
_____
_____ .

B Ya sabemos cuál es tu percepción de los sentidos en España. Pero, ¿qué echas de menos de tu país relacionado con los sentidos: sabores, olores, sonidos...? Explica las razones.

_____
_____
_____
_____
_____
_____
_____ .

Soluciones

Unidad 1: *Me gustaría que...*

1 CONTENIDOS GRAMATICALES

1 **1** demos, estirar **2** te recojamos, llegar **3** coja
4 tengamos, pase **5** se case **6** pusieran **7** vinierais,
nos pongamos **8** interrumpiéramos **9** viera

2 **1** d, Una madre a sus hijos **2** a, Una oculista a un paciente **3** e, Una chica a su ex por teléfono **4** b, Un compañero de trabajo a otro **5** f, Una compañera de clase a un compañero **6** c Dos profesoras a unos padres.

3 A **1** quería **2** soportaba **3** daba vergüenza **4** encantaba **5** pidió **6** tenía **7** sugirió
B **1** recomendaron **2** dijo **3** exigían **4** gustó **5** hacía
6 importaba **7** alegré

4 **1** sino **2** pero **3** sino **4** sino **5** pero **6** sino **7** pero **8** sino

2 CONTENIDOS LÉXICOS

1 **1** para colmo **2** sin pegar ojo **3** pelota **4** pasé un mal rato **5** eficiente **6** ha tenido mala leche

2 A **1** creativa **2** abierta **3** falsa **4** insegura **5** emprendedora **6** ordenada **7** autoritaria **8** trabajadora
2 B Respuesta libre.

3 **1** a **2** b **3** b **4** b **5** c **6** c **7** c **8** a **9** a **10** c

4 **1** Bicicleta **2** Fotografía **3** Autobús **4** Televisión
5 Colegio **6** Profesor/profesora **7** Supermercado
8 Quimioterapia **9** Depresión **10** Por favor **11** Fin de semana **12** Motocicleta **13** Cumpleaños **14** Matemáticas

3 DE TODO UN POCO

1 Interactúa
Respuesta libre.

2 Habla e interactúa
Respuesta libre.

3 Escucha
A1 **1** b Está rechazando la propuesta. **2** b Expresa resignación. **3** a Parece que está muy enfadado.
4 c Para expresar cariño.

2 **Diálogo 1:** aconsejar **Diálogo 2:** expresar vergüenza
Diálogo 3: prohibir **Diálogo 4:** expresar vergüenza

4 Lee
A **1** **1** c **2** b **3** a **4** b **2** **1** a **2** b **3** a **4** b
B **1** acusado **2** obsesivo **3** intruso **4** neuróticas
5 innato **6** antagónicas **7** germen **8** desgraciados

2 **1** Falso **2** Verdadero **3** Falso **4** Verdadero
5 Verdadero

5 Escribe
1 La carta 2 es la carta de recomendación. La carta 1 es una carta de presentación en la que una persona habla de sí misma, de sus estudios, experiencia, intereses, etc. La carta 2 es una carta de recomendación que alguien escribe señalando aspectos positivos de otra persona. En este caso la carta de recomendación al no tener un destinatario fijo tampoco lleva los datos de destino. **2** Respuesta libre. **3** Respuesta libre.

Unidad 2: *Mundo diverso*

1 CONTENIDOS GRAMATICALES

1 **1** esté, vuelva **2** va a ser **3** voy a comprarme, gastes, esperes **4** va a ocurrir, estás **5** han cortado, haya
6 lleve, sabe, llame, sea

2 A **1** se han fusionado **2** escribir **3** celebra **4** es **5** lleven
6 vistan **7** se celebren **8** son **9** esté **10** se divierta **11** ir
12 llevar **13** se estén perdiendo/se pierdan **14** llevar

2 B Respuesta libre.

3 1 vayan, controlan, a **2** pongan, b **3** se involucre, b
4 es, a **5** puede, a **6** es, podamos, b

4 1 Se está rechazando la información porque hay
posibilidades de que no gane España y, en tal caso,
no van a celebrar la victoria. **2** Se está valorando
positivamente una situación. Otras estructuras que
expresan una idea parecida pueden ser: *me parece
estupendo que, me parece fantástico que, me parece
maravilloso que*, etc. **3 a** Es una valoración negativa.
Otra estructura que expresa una idea parecida es: *me
parece una estupidez.* **b** Expresa un consejo.
c Respuesta libre.

2 CONTENIDOS LÉXICOS

1 1 Eres un muermo. **2** Donde fueres, haz lo que
vieres. **3** Me tiene manía. **4** ¡Es una pasada! **5** Estoy
hecho polvo.

2 1 b **2** a **3** c **4** b **5** b **6** b **7** c **8** a

3 DE TODO UN POCO
1 Interactúa
Respuesta libre.

2 Habla
Respuesta libre.

3 Escucha
1 b **2** c **3** c **4** b **5** b **6** a **7** a

4 Lee
A 1 Verdadero **2** Falso **3** Verdadero **4** Falso **5** Falso
6 Verdadero **7** Falso **8** Falso **9** Verdadero

B 1 1 b **2** c **3** a **4** e **5** d
2 1 En efecto **2** En cuanto **3** es decir **4** De hecho

5 Escribe
Respuesta libre.

Unidad 3: *¡Qué verde era mi valle!*

1 CONTENIDOS GRAMATICALES
1 1 sale, llega, Valor: presente histórico **2** llama, pregunta, explica, Valor: conversacional **3** entras, relle-
nas, piensas, Valor: dar órdenes e instrucciones
4 vas, dices, Valor: dar órdenes e instrucciones
5 escribe, Valor: presente histórico

2 1 Estarán preparando **2** habría dicho **3** habrá comido **4** mandarían **5** llamaremos. No expresa probabilidad **6** se habría estropeado **7** habrá bajado **8** Nos
encantaría. No expresa probabilidad

3 A 1 El primer ejemplo introduce una interrogativa
indirecta. El segundo ejemplo tiene valor condicional.
2 Respuesta libre.

3 B 1 Está enfadada porque la hija no le hace caso. **2** b

3 C b

4 1 se habrá terminado. *Anterioridad* **2** habrían contratado. *Probabilidad* **3** se habría marchado. *Probabilidad* **4** se habrá quedado. *Probabilidad* **5** habría sido.
Hipótesis **6** habrán limpiado. *Probabilidad*

5 EXPRESAR APROBACIÓN: A mí me parece bien...,
A mí me parece estupenda...
EXPRESAR DESAPROBACIÓN: A mí no me parece

una medida justa.
EXPRESAR ACUERDO: Estoy totalmente de acuerdo
con esta idea... Yo estoy de acuerdo con usted...
POSICIONARSE EN CONTRA: Estoy totalmente en
contra de este tipo de restricciones...
POSICIONARSE A FAVOR: ¡Bien dicho!

2 CONTENIDOS LÉXICOS
1 1 a **2** b **3** a **4** c **5** b **6** b **7** c **8** a **9** c **10** b

2 Respuesta libre.

3 DE TODO UN POCO
1 Interactúa
Respuesta libre.

2 Escucha
1 Por la preocupante situación de abandono de animales en la calle y su mal estado de salud en Argentina. **2** Porque no están desparasitados ni vacunados
y provocan serias enfermedades, algunas de trans-
misión a las personas, también pueden atacar a las
vacas en las áreas rurales, a otros perros y a la gente.
3 En un terrero acondicionado. **4** De los socios que
donan cosas que se necesitan o apadrinan o amadri-
nan a un animal para costear lo que este necesite hasta su adopción. **5** Respuesta libre. **6** Respuesta libre.

3 Lee
1 1 preservar las especies 2 entorno natural 3 biodiversidad 4 desechos 5 recursos no renovables
6 recursos naturales 7 masificación 8 prácticas no respetuosas o agresivas 9 desarrollo sostenible

2 1 b 2 b 3 b 4 b 5 a

4 Interactúa
1 1 b 2 a 3 b

2 Respuesta libre.

3 Actividades habituales en una granja escuela: recoger huevos recién puestos, ordeñar una vaca, hacer queso, dar de comer a los animales, plantar o recolectar verduras, recolectar miel casera

5 Escribe
Respuesta libre.

Unidad 4: *El placer del arte*

1 CONTENIDOS GRAMATICALES
1 A 1 crear 2 quiere 3 está 4 lleva 5 quiere 6 se encargan 7 use 8 interesan 9 puedes

1 B Respuesta libre.

2 1 algo, varios, nada 2 tantos, Alguien, todos 3 tantos, cualquiera 4 otra, muchos, mucho 5 todo, nada, alguien

3 1 Como 2 así es que 3 no porque 4 ya que 5 Gracias a 6 tanta... que 7 de ahí que 8 por 9 En vista de que 10 debido a

4 A El primer ejemplo parece más informal, mientras que el segundo es mucho más formal.

4 B 1 a 2 a 3 b 4 Respuesta libre.

4 C 1 a 2 b 3 a

4 D 1 a 2 b 3 a

2 CONTENIDOS LÉXICOS
1 A 1 cristal 2 óleo 3 estatua 4 bodegón 5 cúpula 6 boceto 7 pincel 8 retrato 9 cerámica 10 escultura

1 B 1 retrato 2 estatua 3 bodegón 4 pinceles 5 cerámicas 6 boceto 7 cúpula 8 cristal 9 óleo 10 escultura

3 DE TODO UN POCO
1 Habla
Respuesta libre.

2 Escucha
1 b
2 1 b 2 a 3 c 4 c 5 c 6 b
3 1 Les estoy enseñando la ciudad...
2 Tú conoces los dos, ¿verdad?
3 ¡Estupendo! Te llamo cuando se vayan mis padres.

3 Lee
A 1 a De Colombia. b No c La escultura 2
2 1 a 2 b 3 a 4 5 a 6 b
3 Respuesta libre.

B 1 1 d 2 f 3 a 4 b 5 e 6 c
2 Respuesta libre.
3 1 Falso 2 Falso 3 Verdadero 4 Falso 5 Verdadero 6 Verdadero

4 Escribe
Respuesta libre.

Unidad 5: *La publicidad o el poder de la convicción*

1 CONTENIDOS GRAMATICALES

1 **1** Se alquila. *Pasiva refleja* **2** se fía. *Impersonal*
3 Se hacen. *Pasiva refleja* **4** Se busca. *Pasiva refleja*
5 Se reparan. *Pasiva refleja* **6** Se vende. *Impersonal*
7 se admiten. *Pasiva refleja* **8** Se hacen. *Pasiva refleja*
9 Se ofrece. *Pasiva refleja* **10** Se traspasa. *Impersonal.*

2 se me ha roto **2** se le ha bloqueado **3** se me haya
perdido **4** se me ha olvidado **5** Se me cayeron **6** se les
abre **7** se le ha quemado **8** se nos han secado

3 A 1 Sí, es necesario para contrastar con el sujeto de
la oración anterior y dar énfasis. **2** Porque en este
caso ni hay que evitar la ambigüedad, ni hay que contrastar. Acaba de usar *no me gusta* por lo que el sujeto está claro.

3 B 1 No. En el primer ejemplo la estructura es:
sujeto + *ser* + participio + complemento agente. En
el segundo ejemplo la estructura es: sujeto + *estar* +
participio **2** El segundo ejemplo, ya que el primero es
propio de los libros de Historia. **3** Los Reyes Católicos
conquistaron Granada en 1492.

3 C 1 La b. Es menos directa y contradice al interlocutor de forma más amable. **2** Una posible respuesta
podría ser: Pues, no sé qué decirte, conmigo es muy
simpático.

2 CONTENIDOS LÉXICOS

1 **1** lema publicitario **2** anuncio **3** producto **4** eslogan
5 campaña publicitaria **6** juegos de palabras **7** fácil de
recordar **8** consumidores

2 1 f 2 b 3 c 4 e 5 d 6 a

3 Respuesta libre.

4 1 ¡qué faena! **2** me trae de cabeza **3** no tienen ni pies
ni cabeza **4** te echo una mano **5** no te cortes
6 se te cae la baba

3 DE TODO UN POCO

1 Interactúa
Respuesta libre.

2 Escucha
A 1 Respuesta libre. **2** Posibles palabras: *ir de compras, compra, producto, oferta, rebajas, descuento,
promoción,* etc. **3** 1 a 2 c 3 b 4 c 5 a 6 b **4** Respuesta
libre.

3 Lee
A 1 La realidad aumentada es una visión de la realidad combinada con elementos virtuales en tiempo
real. En la realidad aumentada se añade una parte
virtual a lo real. En la realidad virtual nada es real.
2 Respuesta libre.
3 1 Falso **2** Verdadero **3** Verdadero **4** Verdadero
5 Falso **6** Falso **7** Falso **8** Verdadero

B 1 Posibles respuestas. **1** te hacen pagar las conse-
cuencias de un comportamiento **2** pasarlo bien, te
interesa **3** Date cuenta, peligros **4** Habla
2 Respuesta libre.

4 Escribe
Campaña contra el plagio:
No seas tonta… No te pases de lista. Cortar y pegar
sin citar es plagiar

**Campaña madrileña contra la contaminación
acústica:**
Madrid necesita descansar.
No a la contaminación acústica.

Unidad 6: *Vivir en español*

1 CONTENIDOS GRAMATICALES

1 **1** que **2** la que, quien **3** las que, quienes **4** que
5 el que **6** lo que **7** que **8** el que, quien **9** la que, quien
10 la que

2 1 me ha gustado **2** disfrutar **3** hace **4** anochece
5 voy a echar de menos **6** haber **7** he aprendido
8 son **9** organicen **10** es **11** hayamos hablado **12** era

13 encantaba **14** he comprado **15** hay **16** puedes

17 ver **18** se toma

3 1 El que **2** que, que **3** El que **4** lo que **5** El que
6 el que **7** Lo que **8** lo que

4 A 1 No se deja la decisión al interlocutor en el ejemplo c. Con la respuesta se expresa ironía e incredibili-
dad. **2** b **3** Respuesta libre.
4 B 1 Argumentar en contra de lo dicho **2** Enfatizar y
mostrar modestia **3** Pedir el acuerdo

4 C 1 Sorprenderse. Identificarse. Expresar casualidad. Preguntar por la vida de cada uno. Hablar de personas conocidas. **2** El uso de *como + indicativo* se debe a que están hablando de algo que ya ha pasado y por tanto es algo conocido. El uso de *como + subjuntivo* se debe a que están hablando de algo desconocido que todavía no ha ocurrido.

2 CONTENIDOS LÉXICOS
1 A 1 madre **2** por las tardes **3** niñas **4** deberes **5** las mazorcas **6** hablaban **7** bien

1 B Respuesta libre.

2 1 Diálogo 1: ando pillado de tiempo
Diálogo 2: estoy muy ocupado
2 Diálogo 1: trabajo
Diálogo 2: curro
3 Diálogo 1: Pillamos un taxi
Diálogo 2: Cogemos un taxi
4 Diálogo 1: pires
Diálogo 2: vayas
5 Diálogo 1: Te apetece
Diálogo 2: Te hace

3 DE TODO UN POCO
1 Interactúa
Respuesta libre.

2 Habla
Respuesta libre.

3 Escucha
A 1 Respuesta libre.
2 Primera opinión: b. Segunda opinión: a. Tercera opinión: b. Cuarta opinión: c. Quinta opinión: b. Sexta opinión: a. Séptima opinión: c.
3 1 Salir de marcha **2** Ser agradable, amena **3** Conseguir lo necesario para vivir **4** Considerar que algo es aburrido **5** Tener sueño. **6** Ser magnífico o excelente.

4 1 F **2** V **3** V **4** V **5** F

B 1 Respuesta libre.
2 Respuesta libre.

4 Lee
1 1 b **2** a **3** a
2 Respuesta libre.
3 Respuesta libre.
4 Respuesta libre.

5 Escribe
Respuesta libre.

Unidad 7: *Relaciones personales.com*

1 CONTENIDOS GRAMATICALES
1 1 celebrar **2** tengo **3** quedemos **4** tenga **5** venga **6** digamos **7** piense **8** prepare **9** te vas a molestar **10** estamos **11** llegue

2 1 a **2** b **3** b **4** a **5** a **6** a **7** b **8** b **9** a **10** b **11** a **12** a

3 A En el segundo ejemplo se hace referencia a una tarta que es conocida por los interlocutores. Probablemente la persona que habla ya la ha preparado en otra ocasión.

3 B 1 a **2** b **3** b

3 C 1 ¿Que por qué no me he conectado?, c **2** ¿Que cómo es que tengo tantos grupos en el WhatsApp?, a **3** ¿Que cuándo consulto el correo?, d **4** ¿Que por qué me gusta colgar tantas fotos en *Tuenti*?, b

2 CONTENIDOS LÉXICOS
1 A 1 sentimental **2** pareja **3** ruptura/crisis **4** novios **5** flores **6** amorosa/matrimonial **7** celos/sentimientos **8** pareja **9** ligar **10** infiel **11** matrimonio/relación **12** comunicación

1 B Respuesta libre.

2 A 1 computadora **2** red **3** wifi **4** ciberespacio **5** mensajes **6** mail

2 B Las diferencias son: computadora = ordenador, pasarla bien = pasarlo bien.

3 DE TODO UN POCO
1 Interactúa
Respuesta libre.

2 Habla
Respuesta libre.
3 Escucha
1 1 b **2** c **3** c **4** b **5** c
2 Respuesta libre.

3 Respuesta libre.

4 Lee
A 1 Respuesta libre.
2 Respuesta libre.

B 1 **1** Verdadero **2** Verdadero **3** Falso **4** Falso **5** Falso

6 Verdadero **7** Falso **8** Verdadero **9** Verdadero
10 Verdadero
2 **1** e **2** b **3** d **4** a **5** c
3 Respuesta libre.

5 Escribe
Respuesta libre.

Unidad 8: ¿Y si montáramos una empresa?

1 CONTENIDOS GRAMATICALES
1 **1** consigo **2** me decidiera **3** me habría animado
4 encuentras **5** nos vamos, nos iremos **6** sería
7 hubieras dicho **8** habría reservado **9** se hubiera
quedado

2 **1** nos llaman **2** recojan **3** habríamos vendido
4 se cambie **5** nos daría **6** tuviéramos **7** le quede
8 me concedan

3 **1** a menos que **2** Si **3** en caso de que **4** con tal de
que **5** Si **6** Si **7** a no ser que **8** si

4 A **1** El último ejemplo. La partícula *como* se usa
para hacer amenazas. **2** Respuesta libre.

4 B **1** Sorpresa **2** Énfasis **3** Enfado **4** Rechazo

2 CONTENIDOS LÉXICOS
1 **1** empresa **2** negocio **3** mercados **4** generación de
ideas **5** oportunidades **6** productos **7** empleados
8 propuestas **9** cliente **10** demanda **11** diseño

3 DE TODO UN POCO
1 Interactúa
Respuesta libre.

2 Habla
Respuesta libre.

3 Escucha
1 **1** Verdadero **2** Falso **3** Verdadero **4** Verdadero
5 Falso **6** Falso **7** Falso **8** Verdadero
2 Respuesta libre.

4. Lee
1 Respuesta libre.
2 **1** Un océano azul es un mercado sin competencia
donde se busca satisfacer una nueva demanda y donde la innovación cobra gran importancia. En cambio,
los océanos rojos son mercados muy competitivos
que buscan satisfacer una demanda ya existente.
2 Las técnicas usadas por Leonardo Da Vinci perse-
guían evitar los procesos de lógica más tradicionales,
dejándose llevar por la creatividad. **3** Para conocer
bien cuáles son sus necesidades y, de esta manera,
generar una propuesta de valor que satisfaga dichas
necesidades. **4** El objetivo principalmente es, por
un lado, no competir con otras empresas y, por otro,
buscar un nuevo cliente al que satisfacer necesidades
que hasta el momento nadie había atendido y reducir
costes. **5** El Circo del Sol creó un concepto diferente
de espectáculo de circo: dejó de usar animales y le
dio más importancia al baile y al teatro. Además, su
público objetivo pasó a ser un público adulto.
3 Respuesta libre.
4 Respuesta libre.

5 Escribe
Respuesta libre.

Unidad 9: ¿Escuchas, lees o miras?

1 CONTENIDOS GRAMATICALES
1 **1** por, para **2** Para, por **3** por **4** por **5** para **6** por, Para
7 por, para **8** para, por **9** por, Para **10** para, por

2 A **1** para **2** a **3** de **4** por **5** por **6** en **7** de **8** con **9** para
10 con

2 B

A	CON	DE
ha ayudado	ha soñado me peleaba	me enamoré te acuerdas

EN	PARA	POR
pensar	sirven estar	luchamos opte

3 1 Ø, Yo, nosotros, Ø **2** nosotros, yo, vosotros
3 Ø, Ø, yo/ Ø (las dos soluciones son posibles)
4 Ø, Yo, tú, **5** Ø, Ø ella, yo

4 A 1 a *Por* tiene valor de 'en mi lugar'. **b** *Para* expresa un significado de 'haciendo lo que yo le he pedido'. **2 a** *Por* tiene valor de complemento agente. **b** *Para* tiene valor de destinatario.

4 B 1 En el primer caso, prefiere el uso del sujeto *nosotros* para contrastar y diferenciar del sujeto *yo*. En el segundo caso, como no se menciona ningún otro sujeto, pues directamente se responde a la pregunta.

2 Respuesta libre.

4 C 1 1 a Acepta totalmente **b** Acepta parcialmente **c** No acepta **2 a** No acepta **b** Acepta totalmente **c** Acepta parcialmente **2** Respuesta libre.

2 CONTENIDOS LÉXICOS
1 A

Sustantivos relacionados con partes del cuerpo	Adjetivo
cuerpo	alta
tez	baja
mejillas	delgada
labios	gruesa
boca	morena
encías	suave
dientes	finísima
muelas	tersas
bozo	abultados
cabello	rojo
lunares	grande
barba	sanas
frente	limpias
nariz	blancos
cejas	relucientes
pestañas	iguales
	sutil
	negrísimo
	oscuros
	hermosas
	recta
	pequeña
	fuerte
	afilada
	claras
	espesas
	larguísimas
	graciosos

1 B Sustantivos: 1 altura **2** delgadez **3** salud **4** limpieza **5** blancura **6** sutileza **7** negrura **8** oscuridad **9** hermosura **10** rectitud **11** pequeñez **12** fuerza **13** claridad **14** espesura **15** gracia

3 DE TODO UN POCO
1 Interactúa
Respuesta libre.

Sinopsis de *Güelcom*
En esta comedia, Leo, un joven psicólogo, se entera de que su expareja Ana está de visita en Buenos Aires después de haberlo dejado hace cuatro años para probar suerte como chef en España. Apoyándose en las amistades, la terapia y en los recuerdos, intenta superar sus rencores. Con la excusa de la boda de unos amigos en común inicia un plan para poder reconquistarla. Pero la presencia de un nuevo novio y varios resentimientos del pasado van a hacer que la tarea no sea tan sencilla.

Sinopsis de *La piel que habito*
Cuenta la historia de un cirujano plástico que, desde que su mujer murió abrasada en un accidente de coche, busca crear una nueva piel con la que hubiese podido salvar su vida.
Doce años después consigue cultivarla en su laboratorio, aprovechando los avances de la terapia celular. Para ello no dudará en traspasar una puerta hasta ahora terminantemente vedada: la transgénesis con seres humanos. Pero ese no será el único crimen que cometerá...

Sinopsis de *El chico que miente*
Un chico de 13 años abandona su hogar e inicia un viaje por la costa de Venezuela. Para lograr sobrevivir, seduce a la gente contando anécdotas sobre la tragedia del río Vargas. En algunas, él es rescatado por su madre, quien se inmola para salvarlo; otras veces es su padre quien muere. Sin embargo, estos relatos revelan algo de verdad y su pasado se va aclarando.

2 Habla
Respuesta libre.

3 Escucha
1 Respuesta libre.

2 Hoy no me puedo levantar: 2, 3, 5 Quisiera ser: 1, 4, 6

3 Primera opinión: a. Segunda opinión: b. Tercera opinión: a. Cuarta opinión: b. Quinta opinión: a. Sexta opinión: c.

Transcripciones de las audiciones

Unidad 1: *Me gustaría que...*

Pista 1

DE TODO UN POCO. Actividad 3

1 Si quieres acabar antes, te aconsejo que te repartas el trabajo con otros compañeros de clase.

    a Haré todo lo posible por localizarla.

    b No creo que sea buena idea, a mí no se me da bien eso de trabajar en grupo...

    c ¡Qué bien que puedas venir!

2 Estoy enfadada por no poder terminar el informe para mañana.

    a ¡Qué rabia! ¿Cómo te olvidaste de su cumple?

    b ¡Qué le vamos a hacer!

    c No vale la pena contárselo.

3 Qué pesado eres, papá. Déjame en paz y no me controles tanto.

    a No te permito que me hables así.

    b Silencio en la sala, por favor.

    c Luego no digáis que no os avisé.

4 Mamá, estoy un poco nervioso, es que me da mucha vergüenza hablar en público.

    a Tranquilito, que verás que no duele nada.

    b Anda, dame un besito de buenas noches.

    c Miguelito, hijo, tranquilízate que seguro que todo va a ir bien.

Unidad 2: *Mundo diverso*

Pista 2

DE TODO UN POCO. Actividad 3

La mayor concentración turística del país se encuentra en los 50 km de costa que hay entre Playa Bávaro y Punta Cana. Nuestro reportero de Onda Meridional se ha trasladado allí y ha entrevistado a Toñi, una española que ha trasladado a este lugar su paraíso familiar.

● ¿Qué tal? ¿Cómo estás, Toñi?

▼ Mucho gusto.

● Bienvenida a *Extranjeros por el mundo*. Oye, Toñi. ¿Tú qué haces por aquí? Cuéntame. ¿De dónde eres?

▼ Yo soy de Toledo.

● ¿Qué haces en esta tienda de ropa en medio del Caribe?

▼ Pues fíjate, mi marido trabaja en hostelería y llevamos toda la vida de un lado a otro, cambiando de sitio.

● Por el sitio donde estamos, no parece que estemos en medio del Caribe.

▼ Sí, es verdad. ¿Has visto el centro comercial que nos han puesto aquí? Hace dos años no había nada. Antes había algunos supermercaditos chiquititos...
Venid por aquí. Hay algo que os quiero enseñar que a mí me sorprendió mucho al principio.

● Vamos.

▼ Esto es una farmacia, pero fijaos que cosas se venden aquí en una farmacia: collares, pulseras, perfumes, gafas, refrescos,...

● La verdad es que esto parece una tienda de complementos.

▼ Mira, también venden el café típico de Santo Domingo.

● ¿También venden café?

▼ Sí, venden de todo. Además, aquí se venden las cosas sueltas, tú pides ocho y te dan ocho. No hace falta comprar la caja entera.

● ¡Qué bien que puedas comprar solo lo que necesitas!

▼ Oye, si os parece, os llevo a dar una vuelta por los típicos mercadillos artesanales.

● Me parece una idea fantástica.

▼ Pues dejadme cinco minutos me quito el uniforme y me pongo fresquita para dar el paseo.

Unidad 3: *¡Qué verde era mi valle!*

Pista 3

DE TODO UN POCO. Actividad 2

● Hoy en Argentina se celebra el Día del animal, en homenaje al doctor Ignacio Lucas Albarracín, un incansable luchador por los derechos de los animales. Pablo Romano, presidente de la Asociación Chichos se encuentra de visita en España y nos va a contar de forma detallada todas las actividades y novedades que desarrolla esta institución.
Pablo, muchas gracias por estar con nosotros. ¿Cuándo y cómo surgió la idea de formar la asociación?

▼ La idea surge de un grupo de jóvenes a quienes les preocupaba la situación de abandono de animales en la calle y su mal estado de salud allá en Argentina.

● ¿Cómo es la situación de los perros en las calles de San Clemente?

▼ Es preocupante. Después de cada verano nos dejan muchos animales abandonados y enfermos. Estos animales generan un problema que nosotros consideramos de salud pública, ya que no están desparasitados ni vacunados y provocan serias enfermedades, algunas de trasmisión a las personas.
Además, los perros con hambre y sin cuidados llegan a ser peligrosos, convirtiéndose en jaurías que atacan a las vacas en las áreas rurales, a otros perros y a las personas. Creemos que debe haber un compromiso fuerte al respecto de las autoridades en la solución de este problema que nos preocupa a todos.

- ¿Dónde tienen a los perros de la asociación? ¿Qué cosas hacen falta para su cuidado?
- ▼ Acondicionamos un terreno para los animales. Allá llegan muchas veces en situaciones de riesgo, por enfermedad, accidentes, etcétera. Se les brinda asistencia médico-veterinaria y control de enfermedades en forma periódica para que estén en óptimas condiciones de salud para darlos en adopción responsable.
- ¿Cómo puede colaborar la gente?

- ▼ La gente puede colaborar asociándose, donando las cosas que necesitamos, apadrinando o amadrinando a un animalito para costear lo que este necesite hasta su adopción.
- ¿Qué mensaje le transmitiría a quienes desean tener una mascota en cuanto a ser responsables?
- ▼ La gente que quiere tener una mascota debe tener en cuenta que no es un juguete para los niños, ni una compañía en un momento de la vida en que necesitamos

algo, ni una moda. El animal es un ser vivo, que sufre igual que nosotros, que siente y ama muchas veces más que nosotros.
- ¿Están haciendo adopciones?
- ▼ Sí, por suerte dimos en adopción cuarenta y tres animales en el último año.
- Muchas gracias, Pablo, por estar con nosotros y mucha suerte.
- ▼ Muchas gracias a ustedes en nombre de la Asociación Chichos y de todos los animales abandonados.

(Texto adaptado de:
http://www.yamardeajo.com.ar)

Unidad 4: *El placer del arte*

Pista 4
DE TODO UN POCO. Actividad 1
1. Vidrio incoloro y transparente.
2. Pintura obtenida de ciertos pigmentos en una solución aceitosa.
3. Figura esculpida.
4. Pintura que representa una composición de comestibles y utensilios usuales.
5. Bóveda semiesférica con que se cubre un edificio o parte de él.
6. Esquema o dibujo de rasgos generales que sirve de base al artista antes de emprender la obra definitiva.
7. Instrumento para pintar, que consiste en un conjunto de pelos sujetos a un mango.
8. Pintura o dibujo que representa a una persona.
9. Objeto hecho de barro, loza o porcelana.
10. Arte de modelar, tallar y esculpir figuras.

Pista 5
DE TODO UN POCO. Actividad 2
- Hola, Paula.
- ▼ Hola, Sandro. ¿Qué tal?

- Bien. Hace varios días que quería llamarte pero estuve muy ocupado...
- ▼ ¿Y eso? Cuéntame.
- Bueno, mis padres recién llegaron de Argentina y les estoy mostrando la ciudad.
- ▼ ¡Aaaah! ¡Qué bien! ¿Y les está gustando Málaga?
- Sí, les está encantando. Por eso te llamé para hacerte una consulta sobre museos, que sé que sos una experta en arte.
- ▼ No es para tanto, pero dime, a ver si puedo ayudarte.
- El tema es que a mis padres les gusta mucho la pintura, pero con tan pocos días y tantas cosas para ver, no sé si vamos a tener tiempo de ir al museo Picasso y al museo Carmen Thyssen. Vos conocés los dos, ¿cierto? ¿Podés explicarme un poco lo que se puede ver en cada uno?
- ▼ Bueno, ya sabes que son dos museos totalmente distintos.
- Sí, sí.
- ▼ En el museo Picasso hay retratos al óleo, pintura a lápiz, e incluso algunas cerámicas hechas por Picasso. Además, suele haber alguna exposición temporal de algún otro pintor.

- Entonces, ¿vale la pena?
- ▼ Sí, claro. Además el museo Picasso está ubicado en un palacio del siglo XVI muy bonito.
- ▼ ¿Y en el Carmen Thyssen qué se puede ver?
- Pues, hay cuadros de paisajes románticos y pinturas costumbristas. Muchas de las pinturas son andaluzas.
- ▼ ¿De qué pintores?
- Un poco de todo. De Zurbarán, Zuloaga, Fortuny, Sorolla,...
- ▼ De acuerdo. Muy bien.
- Si necesitáis más ayuda, llámame.
- ▼ ¡Bárbaro! Te llamo cuando se vayan mis padres.
- Venga, cuando quieras. Que lo paséis bien.
- ▼ Muchas gracias. Un beso.
- Hasta luego. Un beso.

Unidad 5: *La publicidad o el poder de la convicción*

Pista 6
DE TODO UN POCO. Actividad 2A
- Hola, buenas tardes, ¿tiene un par de minutos para responder unas preguntas para Onda Meridional?
- ▼ Sí, claro, dígame.
- ¿Suele hacer compras por impulso?
- ▼ Sí, todo el mundo las hace. Aunque con la edad uno intenta controlarse.
- ¿Se gasta el dinero sin darse cuenta?
- ▼ No, eso nunca. Pero admito que algunas

veces solo compro caprichos...
- Cuando se siente triste o deprimida, ¿suele comprar para animarse?
- ▼ No, para nada. Lo que sí hago a veces cuando estoy aburrida, es salir a ver cosas y ya que estoy, pues compro algo.
- Cuando ve algo que le gusta, ¿no se lo quita de la cabeza hasta que se lo compra?
- ▼ Cada vez menos. Depende de lo que sea y del precio, claro. Aunque, a veces, si me gusta mucho algo, me cuesta olvidar-

me de ello.
- ¿Compra cosas inútiles que después se arrepiente de haber comprado?
- ▼ Bueno, antes más. A veces, cuando veo algo que me gusta, me digo: no, no lo compro que ya tengo muchos. Eso me pasa con los pendientes, los compro y luego en casa pienso: ¿y para qué me los habré comprado?
- Cuando recibe el extracto de las tarjetas, ¿se sorprende a menudo de ver las com-

pras, que ha hecho?

▼ No, porque suelo llevar bien mis cuentas.

● La última pregunta. ¿Compra ropa que luego no se pone?

▼ La verdad es que me da mucha pena cuando veo en el armario algo que no he me puesto nunca, o que me he puesto solo en una ocasión.

● Pues ya hemos terminado. Muchas gracias por su amabilidad.

▼ Nada, ha sido un placer. Siempre escucho Onda Meridional.

Unidad 6: *Vivir en español*

Pista 7

DE TODO UN POCO. Actividad 3 A

1 A mí me gustó la peli porque refleja la vida de un Erasmus o de cualquier joven que comparte piso con gente de distintos países, pero no me gustó que estuviera doblada.

2 Yo me reí mucho con la película. Además, creo que los actores hacen una buena interpretación. Y es verdad que en muchos aspectos vemos una realidad de los estudiantes europeos.

3 Yo me vi reflejada en muchos puntos, pero a lo mejor una persona que no haya vivido en el extranjero no entendería muchas de las situaciones. Lo único malo es que se me hizo un poco larga.

4 Me parece una idealización de la vida estudiantil. Parece que lo único que hacen los Erasmus es salir de juerga.

5 Bueno, está bien. Es entretenida. Me la esperaba peor. Creo que mejoraría bastante en versión original, no me gustan los doblajes.

6 Es una película genial, que explica a la perfección cómo los jóvenes de hoy en día tenemos que buscarnos la vida cuando vamos a estudiar fuera. Se la recomiendo a todos los estudiantes que vayan a ir de Erasmus.

7 Me pareció un poco rollo. Cuando la estaba viendo, me entró sueño y no vi el final.

Pista 8

DE TODO UN POCO.
Actividad 3 B

Colombia se ha convertido en un destino ideal para los estudiantes de español del mundo entero. Ciudades como Bogotá, Medellín, Cali, Barranquilla y Bucaramanga han llamado la atención de estos turistas que encuentran en Colombia un destino diferente, un destino interesante con una amplia oferta cultural.

En el mundo hay más de catorce millones de estudiantes de español como lengua extranjera, a pesar de que no se cuenta con un cálculo oficial, se estima que seis mil de estos estudiantes han elegido a Colombia como su destino. Los avances en el tema de seguridad que ha vivido el país, y la fama que ostenta como el lugar del mundo con el mejor uso de este idioma ha aumentado el número de estudiantes de manera significativa.

Otros centros de enseñanza han implementado cursos asociados a actividades culturales, turísticas y de esparcimiento que redundan en un mayor interés por parte del estudiante interesado en mejorar su nivel del idioma, por ejemplo, si un extranjero estudia en la Universidad industrial de Santander de Bucaramanga podrá visitar el cañón del Chicamocha, hacer deportes extremos, o pasear por las calles de pueblos coloniales como Girón o Barichara.

«Todo nuestro componente académico incluye en todas las unidades que vemos una parte cultural. Entonces, buscamos que en la medida en que podamos empatar con alguna actividad cultural, que tengamos alguna fiesta que tengamos en el país, ya sea la Independencia, o cosas culturales como el Desfile de silleteros, o el Carnaval de Barranquilla, o la Semana Santa. Entonces, esos temas tratamos de incorporarlos dentro de la parte académica, ¿no?, para que todo esté como un todo».

El cambio de imagen que ha tenido el país gracias a los avances en materia de seguridad y el trabajo de estrategias como *Colombia es pasión* que han emprendido fuertes campañas a nivel internacional, han propiciado el aumento de estudiantes que se sienten cada vez más seguros y motivados a visitar Colombia.

(Texto adaptado de: http://*www.colombia-espasion.com*)

Unidad 7: *Relaciones personales.com*

Pista 9

DE TODO UN POCO. Actividad 3

● Hola, Adrián, ¿me ves?

▼ Sí, sí. ¿Y tú? ¿Me ves?

● No, no te veo.

▼ Espera un momento.

● Ahora.

▼ ¿Qué tal, Jaime?

● Bien, aquí en casa. ¿Y vosotros, qué tal? ¿Cómo os va por Canberra?

▼ Muy bien, muy bien. Yo todavía no he encontrado trabajo, pero estoy buscando.

● Oye... ¿Y a Marta, qué tal le va en la Universidad?

▼ Está muy contenta. Los alumnos tienen mucho nivel de español y están muy motivados.

● ¿Y cómo os defendéis con el inglés?

▼ Al principio nos costaba más trabajo, pero después de unos meses te acostumbras al acento y mejor, bastante mejor. Y cuéntame, ¿qué tal Lola? ¿Ha crecido mucho desde que no la vemos?

● La verdad es que sí. Está muy grande y ya anda. Ahora la pongo para que la veas.

▼ Vale. Yo pongo a Lucas, así se van conociendo.

● ¿Y por cierto, Lucas cómo está? ¿Ya va a la guardería?

▼ De momento no. Como no estoy trabajando, me quedo yo con él.

● Mira, aquí está Lola. Di "hola".

▼ Qué grande y qué guapa. ¡Hola, Looola! Espera, voy a poner a Lucas.

● Lola, mira a Lucas. Mira el niño.

▼ Lucas, ¡mira! esa es tu amiguita Lola. ¡Eh, Lucas, el teclado noooo!, que vas a apagar el ordenador.

● Oye, Adrián, pues Lucas también está muy grande y tiene el pelo larguísimo. Tan rubio y con los ojos tan claros parece un auténtico australiano.

▼ Sí, es verdad... ¿Y para cuándo buscáis el siguiente?

- ¡Uuuuf! Nosotros todavía no sabemos... Cuando Lola sea un poco mayor, es que esto de no dormir por las noches es duro, ¿eh?

▼ Nosotros también vamos a esperar un poco. Marta tiene ganas, pero hasta que yo no encuentre trabajo, lo veo complicado, son muchos gastos...

- Adrián, me están llamando al móvil. Discúlpame un momento y ahora seguimos hablando.

▼ Vale. No te preocupes. Después hablamos.

Unidad 8: ¿Y si montáramos una empresa?

Pista 10

DE TODO UN POCO. Actividad 1
¿Qué es la innovación?

La innovación es el motor que transforma las ideas en valor. Y por valor entendemos algo que genera resultados positivos para todas las partes implicadas en una organización, desde la propia empresa hasta los clientes o usuarios. Por lo tanto, la innovación debe funcionar de manera continua en toda la organización.

Pero, ¿cómo se logra este reto? En primer lugar es necesario coordinar las áreas dedicadas a la explotación del negocio con las implicadas en la exploración de nuevos mercados. A partir de ahí comienza el proceso de generación de ideas, que consiste en detectar oportunidades y problemas, observando en el interior y en el exterior de la organización. De este modo, la exploración permanente del entorno se convierte en una fuente potencial de nuevos productos y servicios. Además, la innovación no debe limitarse al departamento de I+D, sino que hay que incentivar un sistema abierto en el que todos los empleados puedan aportar propuestas. Tras conseguir ideas potencialmente interesantes, el siguiente paso consiste en analizar qué valor aportan al cliente. Antes, el valor se atribuía a algo que simplemente funcionaba, pero hoy este aspecto funcional, aunque sigue siendo necesario, ya no es suficiente. Y es que en una sociedad del exceso, en el que la oferta es superior a la demanda en casi todo, las empresas proponen capas y capas sucesivas de valor para que sus propuestas sean aceptadas. Así, la cosa en sí ha pasado a un segundo plano y el valor se relaciona más con el diseño, el estilo, la experiencia del usuario, o la vivencia de una propuesta.

Vídeo original del Ayuntamiento de Madrid, "La catedral de la innovación". (Texto extraído de: *http://www.youtube.com*)

Pista 11

DE TODO UN POCO. Actividad 3

- Antonio Sánchez Pascual es emprendedor, inversor y empresario del sector de las nuevas tecnologías. Acaba de publicar su tercer libro titulado *Es la hora de montar una empresa*. Le agradecemos sinceramente que nos haya concedido unos minutos para hablar de sus ideas. ¿Cómo se consigue montar una empresa con éxito?

▼ La primera clave es tener un perfil adecuado y estar en las mejores condiciones para ponerla en marcha. Además, hay que tener capacidad para asumir riesgos y ser capaz de afrontar sacrificios, ya que una empresa requiere muchos esfuerzos. Aunque, a veces, el éxito de un empresario es algo puramente casual.

- ¿Todos estamos capacitados para ser buenos emprendedores?

▼ No. Incluso siendo un buen emprendedor, puede ocurrir que no sea un buen momento para tener una empresa. De todas formas, yo opino que solo fracasa el que después de equivocarse se va a casa y no vuelve a intentarlo.

- ¿La edad límite para ser emprendedor?

▼ Creo que no hay una edad límite. En España, por ejemplo, la media de edad es alta, 44 años; en países anglosajones y en el norte de Europa, la media está en los 35 años.

- ¿A qué se debe esta diferencia?

▼ Me parece que se debe a que la universidad española no fomenta el emprendimiento en el mundo empresarial. La educación universitaria anima a los estudiantes a trabajar por cuenta ajena y no impulsa a emprender un negocio. *Facebook* y *Google*, por ejemplo, salieron de universidades estadounidenses. En España, esto no hubiera sido posible.

- Y la última pregunta, ¿cree que es necesario llevar la empresa al entorno *online*?

▼ Yo pienso que todas las empresas ya están en este entorno. Hay empresas que nacen para vivir únicamente en internet y empresas tradicionales que tienen una parte *online* que hoy en día es imprescindible si no se quiere resultar invisible y desperdiciar una buena oportunidad. Lo que no está en internet, no existe.

- Muchas gracias por aceptar nuestra invitación y buena suerte.

▼ Gracias a ustedes. Buenos días.

(Texto adaptado de: *http://www.hallegadolahorademontartuempresa.com/noticias/*)

Unidad 9: ¿Escuchas, lees o miras?

Pista 12

DE TODO UN POCO. Actividad 3

1 Es un musical muy divertido, sales de verlo con una sonrisa. Mis padres fueron grandes admiradores de este dúo y yo conozco todas sus canciones. Me pasé todo el espectáculo cantándolas.

2 A mí de siempre me han encantado sus canciones y por eso fui al musical, pero realmente la historia no tiene nada que ver con la vida de Ana y Nacho, eso me decepcionó un poco. Es una historia de unos chicos de pueblo que con el sueño de convertirse en músicos se van a Madrid.

3 Me ha encantado este musical, es uno de los mejores que he visto. Para mí ha sido muy emocionante revivir todas las canciones de los años ochenta.

4 No está mal, se puede ver, aunque es verdad que había pocos bailarines y daba la impresión de que no llenaban el escenario. Lo que estuvo muy bien fue que cuando acabó la obra, Ramón y Manolo agradecieron la asistencia a todo el mundo y cantaron dos canciones.

5 Me encantó la forma en la que el espectáculo interactuaba con el público, y también que la gente cantara la mayoría de las canciones. Las coreografías y el vestuario son espectaculares. El argumento del musical habla de los ochenta de una forma muy amplia, y refleja muy bien las vivencias de esa época.

6 A mí me regalaron la entrada y en el folleto del musical decía: "Una comedia de hoy al ritmo de los sesenta". Pues a mí no me ha parecido para nada que sea una comedia, de hecho no me he reído en ningún momento. El argumento de las tres mujeres me ha parecido un poco flojo. Sinceramente no lo recomiendo.

Unidad 10: *A través de la ciencia*

Pista 13-17
DE TODO UN POCO. Actividad 3
Pista 13
Noticia 1
El aluminio es la base de objetos cotidianos como las latas de refrescos o los desodorantes, pero no es hoy un metal muy prestigioso. Sin embargo, a principios del siglo XIX, el aluminio se consideraba un metal precioso. Durante más de sesenta años, el aluminio fue un símbolo de poder y se pagaba más caro que el oro. Y eso que es el metal más común en la Tierra. El problema es que no se sabía extraer. Cuando los ingenieros aprendieron a producirlo industrialmente, un kilo de aluminio pasó de costar 1000 dólares a costar tan solo 50 centavos de dólar.

(Texto extraído de: *http://www.rtve.es/ala-carta/videostres14/tres14-curiosidades-cientificas-metal-precioso/1304473/*)

Pista 14
Noticia 2
La carne cruda aporta menos energía. Eso ha demostrado un equipo de investigación estudiando ratones de laboratorio. A unos les daban carne picada cruda y a otros, hamburguesas a la plancha. Los ratones disfrutaban de la comida por igual, pero al estudiar el efecto de la dieta en el peso, los investigadores vieron que los que comían carne cruda adelgazaban rápidamente. Los resultados cuadran con lo que dicen los antropólogos que estudian la evolución humana: cuando aprendimos a cocinar los alimentos conseguimos que la comida nos aportara más energía, algo que sirvió para alimentar mejor nuestro cerebro. Cocinar nos convirtió en lo que somos hoy.

(Texto extraído de: *http://www.rtve.es/a-lacarta/videos/tres14/tres14-curiosidades-cientificas-carne-cruda/1342713/*)

Pista 15
Noticia 3
Los coches que conducen solos son un sueño de la ciencia ficción. Pero la inteligencia artificial parece estar cada vez más cerca de conseguir vehículos autónomos. Gracias a dispositivos GPS de alta precisión, radares, láseres y cámaras, el ordenador de abordo es capaz de marcar el rumbo y elegir la velocidad. Uno de los proyectos más avanzados es el que desarrolla *Google* y los resultados son prometedores. En una demostración, el vehículo esquivó un animal muerto en carretera y evitó un camión que venía de frente. Pero aún falta más investigación. La máquina todavía no conduce mejor que el hombre.

(Texto extraído de: *http://www.rtve.es/ala-carta/videos/tres14/tres14-curiosidades-cientificas-vehiculosautonomos/1297140/*)

Pista 16
Noticia 4
Una empresa de Estados Unidos ha creado el primer animal modificado genéticamente para consumo humano. Se trata de un salmón transgénico que crece el doble de rápido que los normales y está especialmente diseñado para adaptarse a las piscifactorías. Solo han tenido que manipular dos genes para conseguir este nuevo salmón. Un gen activa la hormona de crecimiento y el otro sirve de anticongelante para que el pez no deje de crecer en invierno como hace naturalmente. Este salmón alcanza en 18 meses el peso que tendría uno convencional de 3 años. El salmón transgénico todavía no se puede comercializar.

(Texto extraído de: *http://www.rtve.es/ala-carta/videos/tres14/tres14curiosalimentos-salmontransgenico/1342714/*)

Pista 17
Noticia 5
El récord Guinness de coeficiente de inteligencia lo tiene el coreano Kim Ung-Yong, con un valor estimado de 210. Kim era capaz de mantener conversaciones a los 6 meses de edad y a los 4 años podía leer en japonés, coreano, inglés y alemán. Con 5 años ya sabía hacer cálculos matemáticos complejos y a los 6 empezó a estudiar Física en la universidad. La NASA le fichó con tan solo 8 años y se pasó una década trabajando con ellos. Hoy recuerda esa época como la más solitaria de su vida. Desde que se instaló a las afueras de Seúl y empezó a trabajar en una empresa local es feliz y no se siente un fracasado.

(Texto extraído de: *http://www.rtve.es/ala-carta/videos/tres14/tres14-curiosidades-cientificas-record-guinness-coeficiente-inteligencia/1317355/*)

Unidad 11: *¿A qué dedicas el tiempo libre?*

Pista 18
CONTENIDOS GRAMATICALES.
Actividad 2B
- ● Estaba pensando que a lo mejor podemos aprovechar este fin de semana para hacer algo, ya que el viernes no hay clases y lo tenemos libre.
- ▼ Buena idea, Leti. ¿Y tienes algo pensado?
- ● Igual no os gusta la idea..., pero ¿y si vamos a Marruecos? ¿Habéis estado en Chefchaouen?
- ■ Yo no he estado y tengo muchísimas ganas de ir porque me han hablado muy bien del sitio. Además, puede que no nos salga muy caro llevarnos el coche.
- ▼ Tal vez podríamos coger el barco en Algeciras el jueves por la tarde, si sale alguno, claro. Y luego en Ceuta tendríamos que pasar la frontera.
- ● Ese sería el plan. He mirado que de Ceuta a Chefchaouen hay una hora y media en coche más o menos. ¡Ojalá haya algún barco el jueves por la tarde! Sería perfecto porque así podríamos aprovechar todo el viernes.
- ▼ Muy importante, ¿tenéis los pasaportes en vigor?
- ■ ¡Uf! Pues yo a lo mejor lo tengo caducado.
- ● Irene, pues eso es importante que lo mires. Se lo tenemos que decir también a Miguel y a Mónica.
- ▼ Ya me estoy imaginando: paseando entre las casas pintadas de azul, comiendo cuscús y pinchitos, bebiendo té... Ojalá salgan bien los planes.
- ● A mí eso de regatear en las tiendas me encanta, y me han dicho que se pueden comprar complementos de plata a buen precio.
- ■ ¡Vaya! Ahora me acuerdo de que les dije a mis abuelos que igual iba a verlos al pueblo este fin de semana. Yo creo que no voy a poder ir.
- ▼ Venga, Irene, no te rajes, ¿te vas a perder el viaje?
- ■ ¿Y qué hago? Voy a hablar con ellos a ver qué me dicen, pero no prometo nada.

Además, no sé si el pasaporte...
- Bueno, pase lo que pase, al menos inténtalo. Seguro que tus abuelos lo entienden perfectamente.
▼ Voy a llamar a Miguel y a Mónica para contárselo.
- Pues yo voy a mirar cosas de Chefchaouen en internet. Por cierto, hay unos baños tradicionales y son baratos. Hay uno para mujeres y otro para hombres. Quizá podríamos ir.
  (*Unos minutos después*)
▼ Miguel y Mónica dicen que contemos con ellos sea cual sea el plan. ¡Ah! y dicen que puede que Isabel también se apunte.
- Perfecto.
■ Pues, ya sabéis, conmigo no contéis en principio. Si hay algún cambio os aviso.
▼ Vale, ya nos dices algo.

Pista 19
DE TODO UN POCO. Actividad 3 A
- Buenos días a todos. Estoy aquí en una clase de aikido que está a punto de terminar, así que vamos a aprovechar para que nos cuenten un poco sobre esta arte marcial.
  Hola, ¿qué tal? ¿Acabas de terminar tu clase de aikido, verdad?
▼ Sí, ahora mismo.
- Y cuéntame, ¿por qué aikido?
▼ Bueno, yo empecé porque me gustaban mucho las películas de Steven Seagal, que es maestro de aikido. Me interesé por la técnica que usaba en sus películas y busqué un sitio donde me lo pudieran enseñar. Aquí entendí que el aikido no es solo una técnica, sino una filosofía de vida, te ayuda a progresar como persona y a cambiar cosas en ti, además tiene los beneficios de cualquier otro tipo de deporte.
- ¿Qué partes del cuerpo se trabajan más?
▼ Trabajas la fuerza sobre todo en los brazos y el pecho, pero también la coordinación y la resistencia. Y lo más importante aprendes a defenderte de un modo no agresivo.
- ¿Cómo te sientes en general?
▼ Me siento mejor, más vital, y el aikido me ayuda a ser mejor persona. Bueno, esa es mi experiencia, no sé qué opinarán los demás.
- Muchas gracias. Voy a preguntarle a tu compañera antes de que se escape.
  Hola, ¿qué tal? ¿Cuánto tiempo hace que practicas el aikido?

■ Llevo diez meses, no, perdona, desde octubre, once meses.
- ¿Y por qué aikido y no otra cosa?
■ Pues es una historia un poco larga... Lo que ocurrió fue que estaba pasando por una crisis personal bastante fuerte, así que probé con clases de baile y otras cosas, pero no conseguía un buen resultado. Como mi pareja estaba dando clases de aikido, decidí probar y me gustó. Sobre todo porque la capacidad física no es un factor muy importante.
- ¿Qué destacarías del aikido?
■ En el aikido no se ataca. Está pensado para que sirva ante cualquier tipo de ataque, por muy potente que sea, y cualquier tipo de oponente por muy fuerte que sea físicamente. Por eso, en muchos cursos que se imparten para la defensa personal de mujeres, muchas de las técnicas que se les enseñan proceden del aikido.
- ¿Sabes lo que significa aikido?
■ Pues es algo así como el camino de la energía y la armonía.
- ¿Y qué te aporta el aikido?
■ Tranquilidad. Es un arte marcial que te enfrenta contigo mismo. Aquí no hay competición, no se demuestra nada.
- ¿Alguna desventaja?
■ Para mí todo son ventajas, pero algunos alumnos piensan que el avance es lento. Creo que lo fundamental es entender su filosofía.
- Gracias por todo.
■ De nada.
- Y a nuestros oyentes, ya saben qué tienen que hacer si quieren ir por el camino de la energía y la armonía.

Pista 20
DE TODO UN POCO. Actividad 3 B
- Cuéntanos José, dejaste tu trabajo en Madrid y te fuiste a República Dominicana, ¿cuánto tiempo estuviste de voluntario? ¿Qué es lo que te llevó a tomar esta decisión?
▼ Fueron nueve meses a tiempo completo. El motivo de esta decisión fue resultado de varios factores, pero lo más importante es que necesitaba tener una experiencia en la que pudiera disfrutar, aprender y ayudar al mismo tiempo.
- ¿Lo dejaste todo sabiendo que podías tener problemas para encontrar trabajo a la vuelta?
▼ Sí, de hecho mi familia me lo advirtió y mis amigos también. La situación en el

país no era la más adecuada para dejar un buen trabajo. Pero yo sabía que tenía que vivir esta experiencia.
- ¿Y a qué dedicaste tu tiempo en el pueblo de Ramón Santana?
▼ Participé en un proyecto de higiene y salud de la ONG JustAlegría, que trabaja en Santo Domingo.
- ¿De qué trataba el proyecto?
▼ El proyecto comenzó identificando a las 25 familias más pobres del pueblo. Luego nos dedicamos a la construcción de viviendas con el objetivo de que estas familias pudieran tener una nueva casa con suelo, techo y sin agujeros.
- ¿Cómo te sentiste?
▼ Pues mi sensación fue de satisfacción ya que, cuando las familias tuvieron su casa nueva, te mostraban tanta gratitud que no había nada que pudiera pagar esa felicidad.
- ¿Alguna anécdota interesante o divertida?
▼ Bueno, me llamaba mucho la atención que el día antes de que en la carnicería del pueblo se pudiera comprar ternera, paseaban a una vaca viva por todas las calles para que la gente viera que la comida era fresca.
- ¿Qué echabas de menos de España?
▼ Sobre todo, la variedad de comidas. Todos los días comía lo mismo: arroz y pollo. Tampoco tenía agua corriente y tenía que ducharme con cubos de agua.
- ¿Qué les dirías a otras personas que como tú quieren dedicar su tiempo a ayudar a otros?
▼ Animaría a todo el mundo a hacer lo que yo hice porque es una experiencia que vale la pena. A todos los que estén interesados, les recomiendo que consulten la *web* de JustAlegría.
- Muchas gracias, José.
▼ Gracias a vosotros.

Unidad 12: *Un viaje alrededor de los sentidos*

Pista 21
DE TODO UN POCO. Actividad 3
Un rincón inolvidable

¿Te gustaría darle una sorpresa a una persona especial?

¿Te gustaría pasar una noche a la luz de la luna?

¿Te gustaría disfrutar de una maravillosa cena bajo la mirada de las estrellas?

¿Te gustaría enamorarte con el aroma del mar?

Si te has pasado la vida pensando en un lugar romántico para compartir una velada especial, Bahía de Tanit es ese rincón inolvidable donde deleitar todos tus sentidos.

Un paisaje idílico, una iluminación sensual. Jazz de fondo acompañado por las olas del mar.

Brisa marina y aromas de jazmín.

Los sabores más modernos combinados con una cocina tradicional.

Una caricia, un beso.

Chiringuito Bahía de Tanit, el lugar perfecto para sorprender a tu pareja.

En Torre del Mar. En la Costa del Sol. *El mejor clima de Europa.*